Maribel y la extraña familia

Καὶ νέους θάρσυνε· νίκης δ' ἐν θεοῖσι πείρατα.

ΑΡΧΙΛΟΧΟΣ

ΕΛΕΓΕΙΑ, ΤΕΤΡΑΜΕΤΡΑ (57 D)

Anima tú a los jóvenes: a los dioses les toca determinar el triunfo.

ARQUÍLOCO

Elegías, tetrámetros (57 D)

CÁTEDRA BASE

Maribel y la extraña familia

Miguel Mihura

Edición de Ramón Acín

Colección dirigida por José Mas y M.ª Teresa Mateu

1.ª edición: marzo de 2005
13.ª edición: febrero de 2020

Diseño y cubierta: M. A. Pacheco y J. Serrano
Ilustración de cubierta: La Gran Vía de Madrid hacia 1960

Juan Ignacio Luca de Tena, 15. 28027 Madrid

ISBN: 978-84-376-2223-1
Depósito legal: M. 48.409-2011
Composición: Grupo Anaya
Impreso en Anzos, S. L.
Fuenlabrada (Madrid)
Impreso en España - Printed in Spain

ÍNDICE

INTRODUCCIÓN

> La imaginación consuela a los hombres de lo que no pueden ser. El humor los consuela de lo que son.
>
> WINSTON CHURCHILL

Biografía y teatro

A Miguel Mihura (Madrid, 1905-1977) se le conoce, sobre todo, en el panorama reciente de la literatura española, por su actividad como autor de teatro, inteligente, original e innovador. Propicia esta consideración, esquiva a lo largo de veinte años de su vida, el éxito y la presencia permanente del autor en la cartelera madrileña desde 1952 a 1968. Entre *Tres sombreros de copa*, referencia ineludible del teatro español del siglo XX —estrenada en 1952, pero escrita en 1932—, y *Sólo el amor y la luna traen fortuna*, estrenada en 1968, Mihura lleva a las tablas dieciocho obras, siempre con apoyo crítico y con el favor del público. Sin embargo, para comprender la valía y la personalidad literarias de Mihura también deben tenerse muy presentes otras varias facetas de su capacidad creativa mostradas a lo largo de su vida. Así, junto a los cuentos, escritos periodísticos, historias cómicas o dibujos de su etapa inicial como artista —publicados en revistas humorísticas y en periódicos serios como *El Sol* o *La Voz*—, destacan, por ejemplo, los guiones y la adaptación de obras para el cine, en especial a partir de 1940. En Mihura, la imagen, la palabra y, a veces, incluso la música son tan esenciales como lo son su condición de innovador —Eugène Ionesco le consideró precursor del «teatro del absurdo»—, su conocimiento a fondo del idioma o la agilidad y profundidad en el tratamiento del humor.

Aunque no siempre biografía y creación van unidos, en Mihura se dan algunos momentos de conexión que merecen ser considerados. Nace en una familia muy vinculada al teatro. Es hijo de Miguel Mihura Álvarez, un cómico famoso en los escenarios madrileños que, a la vez, escribe zarzuelas, comedias y sainetes en colaboración con Ricardo González del Toro. El mismo Mihura, en distintos escritos suyos, ha reconocido la importancia de tan pronta presencia del teatro en su persona. Una presencia que va, por ejemplo, desde la admiración cuando habla de actores —«esas gentes maravillosas y fantásticas»—, hasta el hecho mismo de asumir lo que éste pudo suponer en su formación como autor —«en lugar de jugar con soldados de plomo, jugaba con pelucas de teatro y con barras de maquillaje».

Asimismo, leyendo *Mis memorias*, un libro extraño, lúcido y jocoso de Mihura, publicado por José Janés en 1948, se observa, a través de capítulos concretos, el hondo conocimiento que el autor madrileño tenía tanto del teatro, como del mundo del espectáculo, previos a su condición de autor teatral de éxito.

Otro dato biográfico interesante en esta interrelación entre biografía y creación: acabado el bachillerato y abandonados los estudios de música, idiomas y pintura, Mihura acepta la contaduría del Teatro Rey Alfonso a propuesta de su padre. El puesto lo compagina con la lectura de obras francesas, susceptibles de ser representadas en el Rey Alfonso. Lecturas que, sin duda, servirán de aprendizaje a quien, con el tiempo, se mostrará como el mejor autor teatral en cuanto al uso de los recursos escénicos y en cuanto al tratamiento del lenguaje.

A esta familiaridad con el teatro y al aprendizaje que le aporta su trabajo como lector de obras en el Rey Alfonso, podría añadirse también el influjo del ambiente de la época. El final de la segunda década del siglo XX y, en especial, los «felices años 20» se vieron marcados por el auge del mundo del espectáculo —zarzuelas, teatro cómico, irrupción del cine, *music hall,* revistas...—. En parte, tal vez como bálsamo frente a los acontecimientos bélicos recientes de la Gran Guerra. Pero, en especial, como manifestación de un nuevo concepto, el del ocio, cada vez con más arraigo en la sociedad. El mismo Mihura participa de este ambiente cuando, al final de la década, se embarca en una gira por España con «Alady», que le contrata para escribir las historias que esta compañía debe representar. Una aventura que parece ser germen de *Tres sombreros de copa,* su primera obra de teatro, escrita en 1932, y que conlleva todo un concepto novedoso de teatro, el uso especial del humor y, entre otros elementos, un tratamiento diferente del lenguaje.

Precisamente, los fracasos a la hora de llevar a escena o al cine esta primera obra marcan, aún más, la conexión entre biografía y teatro de la que venimos hablando. El fracaso de 1932 —sus amigos y los empresarios consideraron que *Tres sombreros de copa,* además de poseer un humor extraño para el público, era una obra irrepresentable—, le hace refugiarse en el periodismo y en el cine —*La hija del penal,* con Eduardo García Maroto en 1935, por ejemplo—, abandonando, por el momento, su tendencia a convertirse en autor teatral.

Otro nuevo intento y su fracaso, en 1935, se une al estallido de la Guerra Civil que le lleva a Salamanca y a la dirección de *La Ametralladora* —hasta el número 3, *La Trinchera*—, semanario de actualidad y humor que abandonará su cariz inicial, partidista y de propaganda bélica, para centrarse en el humor. Un humor que triunfa definitivamente con los primeros años de *La Codorniz,* a partir de 1941, mostrando el periodismo de humor que tan bien define el trabajo y la intención del autor teatral madrileño. Mihura, por tanto, es también el padre de las dos publicaciones más fundamentales a la hora de comprender el humor español contemporáneo que, con él, superó todos los tópicos en boga hasta esas fechas.

Estos intentos fallidos se unen al extraño camino recorrido por sus dos comedias escritas el verano de 1939. La primera en colaboración con Joaquín Calvo Sotelo, *¡Viva lo imposible! o El contable de estrellas,* se estrena ese mismo año y con apenas una treintena de representaciones, pasa a mejor vida. La segunda, *Ni pobre ni rico, sino todo lo contrario,* escrita con Tono se estrena en 1943 y supuso un duro golpe para Mihura. Éste, amante convencido del teatro, no entiende que el éxito de la obra se deba al humor, aceptado ya por el público, como se dijo; un humor que había sido impuesto desde 1941 por *La Codorniz,* la revista de humor que él mismo dirigió hasta 1944 y que, también, él mismo había fundado con Manuel Halcón. La verdad no estaba en lo que pregonó la crítica y la prensa —importancia de «lo codornicesco»—, puesto que la raíz de ese humor y los tratamientos lingüísticos y escénicos ya se hallaban en *Tres sombreros de copa*, su primera e «irrepresentable» obra. Además, por otra parte, *Ni pobre ni rico, sino todo lo contrario* estaba escrita dos años antes de que *La Codorniz* viese la luz y esparciese tan novedoso tratamiento del humor. Por ello, salvo la incursión de *El caso de la mujer asesinadita* —escrita en colaboración con Álvaro de Laiglesia el año 1946, por motivos económicos como el autor ha confesado—, Mihura, convencido de su decisión, abandona su pasión por el teatro. Y lo hace hasta que el azar vuelve a llamar a su puerta. Tardará una década. Sucede en 1952 a instancias de Pérez Puig: *Tres sombreros de copa* es representada por el Teatro Español Universitario y Miguel Mihura, veinte años después, entra en el panteón del teatro.

Sin embargo, durante esta década sin producción teatral, Mihura no está ocioso. Para comprobarlo sirve como modelo su dedicación al cine, escribiendo diálogos y guiones. Lo atestiguan, entre otras, las películas *Castillo de naipes* —dirigida por su hermano Jerónimo Mihura, 1943—, *La calle sin sol* —Rafael Gil, 1948—, *Mi adorado Juan* —J. Mihura, 1949—, *La Corona Negra* —Luis Saslavsky, 1950, con argumento de Jean Cocteau—, *El señorito Octavio* —J. Mihura, 1950, adaptación de un texto de Palacio Valdés— o, entre otros, el guión de la conocida *Bienvenido, Mister Marshall* —de Bardem y García Berlanga, 1952.

A partir de 1952, el mundo dramático de Mihura estalla. Y pasa de la decepción acumulada durante veinte años a un abrumador éxito, al reconocimiento de su quehacer teatral en la Historia de la Literatura y al rendido elogio de literatos foráneos como Ionesco o Duras. *Tres sombreros de copa* fue escrita diecisiete años antes que *La cantatrice chauve (La cantante calva),* de Ionesco, obra básica del teatro del absurdo. Por ello, el ritmo de creación y estreno, desde este año, es de una obra al año y, en ocasiones dos o más, salvo en 1960 en el que se estrena la versión cinematográfica de *Maribel y la extraña familia* con dirección de José María Forqué.

Atestiguan este éxito de crítica y de público y el ritmo trepidante de estrenos y representaciones *El caso de la señora estupenda, Una mujer cualquiera* y *A media luz los tres* (1953), *El caso del señor vestido de violeta* (1954), *¡Sublime decisión!* y *La canasta* (1955), *Carlota* (1957), *Melocotón en almíbar* (1958), *El chalet de madame Renard* (1961), *Las entretenidas* (1962), *La bella Dorotea* (1963), *Milagro en casa de los López* (1964), *La tetera* (1965), *Ninette, «Modas de París»* (1966), *La decente* (1967) y *Sólo el amor y la luna traen fortuna* (1968). Y, también las versiones cinematográficas de algunas de sus obras de teatro como *¡Viva lo imposible!, Carlota, Melocotón en almíbar...*

Junto a éxito y estrenos, Mihura también acumula premios. Entre ellos, tres Premios Nacionales de Teatro —*Tres sombreros de copa, Mi adorado Juan* y *Maribel y la extraña familia*, temporadas de 1952-53, 1956-57, 1959-60 respectivamente—, un Premio Nacional de Literatura «Calderón de la Barca» por *Ninette y un señor de Murcia* en 1964, dos Premios de la Crítica de Barcelona —*Melocotón en almíbar*, 1958; *Ninette y un señor de Murcia*, 1964—, el Premio Leopoldo Cano —*Ninette, «Modas de París»*, 1966— y el Premio de la Real Academia Española al conjunto de su obra en 1972, siendo elegido miembro de ésta en 1976, aunque no llegó a pronunciar su discurso de entrada en la Academia al morir en 1977.

Por fin la estética de Mihura, inaugurada en 1932 con *Tres sombreros de copa,* obtiene, aunque tardíamente, el reconocimiento debido. La ruptura con los antiguos cánones del humor se había producido en el teatro español, por tanto, años antes de que los estrenos de Jardiel Poncela agitasen el teatro cómico. Y esa ruptura la había llevado a cabo Miguel Mihura al inyectar a los elementos de crítica social, su visión dramática, con cimientos en la irracionalidad, la ironía y el escepticismo. Mihura consiguió «asociar el humor trágico, la verdad profunda, al ridículo, que, como principio caricaturesco, sublima y realza, ampliándola, la verdad de las cosas», tal como afirmó Ionesco. En *Tres sombreros de copa* se hallan ya todas las características y temáticas de la posterior producción teatral de Mihura, aunque, en las obras estrenadas a partir de 1952, el autor aminore y atempere la radicalidad de su primera obra.

El humor en Mihura

En gran medida, el interés concitado por la temática de Mihura se asienta en las vidas mediocres que coloca ante el espectador. En las fantasías del «hombre gris y peatonal» que, según Francisco Umbral, explora. Un hombre común que siempre tiene una mujer enfrente —o sea, la pareja como única fuente dramática—. Y que, en palabras de Mihura, «quizá sea la víctima; no es el que las conquista, sino el que se deja conquistar. Es un sujeto pasivo, así como las chicas son sujetos activos».

En suma, personajes, temas y problemas en los que, a la vez que es posible el hecho de hurgar en las costumbres de la sociedad, no se encuentra la esperada explicación dictada por el sentido común. Por el contrario, la duda impregna el corazón del espectador. Mihura actúa, sobre todo con su forma de tratar el lenguaje y, con menos intensidad, con la forma de cerrar sus obras. Como si colocase un Caballo de Troya en el sistema lógico del espectador. Y en ese uso de la duda, el humor posee un sitio especial.

Para Mihura, como apuntó Wenceslao Fernández Flórez, el humor es una posición ante la vida. Y esta posición o disposición ante la vida, en la que, como en su comedia *Tres sombreros de copa*, «todo parece que es mentira», oculta melancolía, un escepticismo total y un enorme desencanto, bajo un disfraz burlesco. Los trucos y los guiños con el fin de manejar y explotar el lado humorístico de la realidad, los apuntes autobiográficos y la ternura que vuelca en algunos personajes son los rasgos principales de Mihura en su concepto del humor, un humor nuevo y pequeñito, como de cajita de música.

Para Mihura, como para Fernández Flórez, el objeto de humor es la existencia propia, la consideración del ser como absurdo. Mihura, con el uso de este humor, pretende mostrar la falacia de las normas y de las costumbres que definen a la sociedad como modelo a seguir; es decir, el humor sirve para desenmascarar a la sociedad convencional. Mihura usa el humor para burlarse de esta sociedad, pero sin indagar su trasfondo. Por ello, las soluciones que laten en las obras del autor madrileño serán soluciones de tipo individual. El humor ayuda a ver, se dirige a la inteligencia, pero no se adentra en el territorio de la crítica.

En este esquema, el lenguaje, y su tratamiento, posee enorme importancia. Porque el lenguaje usado por esa sociedad modélica y convencional es un lenguaje gastado con clichés, frases hechas, tópicos, estereotipos vacíos de significado —ataque a lo cursi—, que ocultan la realidad. Por lo general, «la otra generación del 27», a la que Mihura pertenece, se dedicó a desmantelar el habla de la época, rompiendo bruscamente con ella y, sobre todo, como afirma Mihura, rompiendo con «la cursilería integral (...), capaz, como la gripe, de ocasionar serios trastornos a la sociedad, por lo que tiene de contagiosa». Y así, con las rupturas humorísticas de los tópicos se parodia el discurso, al tiempo que se muestra lo poco que el lenguaje dice. El humor en Mihura es un instrumento para desentrañar esa ocultación de los problemas sociales, no para cambiar la sociedad.

Un ejemplo genial de este humor nuevo lo encontramos en *Un bigote para dos*, largometraje en el que Tono y Mihura, partiendo de las imágenes de una patética película alemana sobre un joven Strauss, reescribieron la historia de esa película mediante unos diálogos absolutamente delirantes y disparatados —como luego haría Woody Allen en *Lily la Tigresa* (también conocida como *Woody Allen, el Número 1*/*What's up, Tiger Lily?*).

Mihura hace suyo el análisis del maestro Gómez de la Serna —«desconcertar al personaje absoluto que parecemos ser, dividirle, salirnos de nosotros, ver si desde lejos o desde fuera vemos mejor lo que sucede»— cuando en su libro *Mis memorias* afirma que «el humor verdadero no se propone enseñar o corregir porque no es ésta su misión. Lo único que pretende el humor es que, por un instante, nos salgamos de nosotros mismos, nos marchemos de puntillas a unos veinte metros y demos media vuelta a nuestro alrededor contemplándonos por un lado y por el otro, por detrás y por delante, como ante los tres espejos de una sastrería y descubramos nuevos rasgos y perfiles que no nos conocíamos. El humor es verle la trampa a todo, darse cuenta de por dónde cojean las cosas; comprender que todo tiene un revés; que todas las cosas pueden ser de otra manera, sin querer por ello que dejen de ser como son, porque esto es pecado y pedantería. El humorismo es lo más limpio de intenciones...».

Mihura, cuyo estilo enlaza con la estructura de los *sketches* del *music hall* o con los diálogos del cine, posee un estilo ceñido, con diálogos «de ametralladora» punteados por breves respuestas que buscan y exploran el humor. Veamos algunos ejemplos:

(Extraídos de *Tres sombreros de copa*)

FANNY.—Oye, tienes unos ojos bonitos.
DIONISIO.—¿En dónde?

o,

PAULA.—(...) ¿Por qué se casan todos los caballeros...?
DIONISIO.—Porque ir al fútbol siempre, también aburre.

(Extraídos de *Maribel y la extraña familia*)

DOÑA MATILDE.—¡Qué hombres los de antes, que se morían enseguida!
DOÑA PAULA.—A mí, el mío me duró solamente un día y medio. Nos casamos por la mañana, pasamos juntos la noche de bodas y a la mañana siguiente se murió.

o,

DON LUIS.—(...) pues doña Paula se encuentra en perfecto estado de salud.
DOÑA MATILDE.—Y es que, gracias a Dios, en casa todos hemos sido muy robustos hasta que nos hemos muerto.

La consideración del ser como absurdo, por ejemplo, se percibe claramente en los resortes cómicos de las situaciones en que los personajes toman las palabras al pie de la letra, —el episodio en

Tres sombreros de copa en el que suena el timbre del teléfono, Paula le pide que mire quién es y Dionisio mira entonces por el auricular—, o escuchan respuestas ilógicas sin pestañear.

La ironía también es utilizada en ocasiones para una velada crítica social, siempre al servicio de un absurdo llevado a situaciones límite, como el *sketch* de *Tres sombreros de copa* en el que El odioso señor, seduciendo a Paula, saca de un bolsillo un par de ligas, otro par de medias, un ramo de flores, una bolsa de bombones, un bocadillo de jamón. Otro ejemplo muy significativo, en el mismo episodio:

> El odioso señor.—Por Dios... ¿Y qué echa usted en el agua del baño?
> Paula.—«Papillons de Printemps». ¡Es un perfume lindo!
> El odioso señor.—Yo echo focas. Estoy tan acostumbrado a bañarme en Noruega, que no puedo habituarme a estar en el agua sin tener un par de focas junto a mí...

A los protagonistas masculinos (se ha dicho ya, lo son solamente respecto a la acción dramática: todos resultan tímidos, apocados y definitivamente infantilizados) les caracteriza un modo de hablar ingenuo y dislocado, que usa y abusa de la hipérbole, del diminutivo y, sobre todo, de las adverbializaciones (relativizantes), uno de los mejores hallazgos de Mihura.

> (De *Tres sombreros de copa*)
>
> Dionisio.—(...) Mi padre era comandante de Infantería. Digo, no.
> Paula.—¿Era militar?
> Dionisio.—Sí. Era militar. Pero muy poco. Casi nada. Cuando se aburría solamente...
>
> o,
>
> Paula.—¡Te casas, Dionisio!
> Dionisio.—Sí. Me caso, pero poco.

Mihura utiliza también, como luego haría Manuel Summers en sus películas, temas musicales populares para definir a los personajes, o sus estados de ánimo, también como *leitmotiv* parabólico de la historia o con el fin de dinamizar la narración.

Por otra parte, hay que destacar el excelente dinamismo visual que caracteriza las mejores obras de Mihura. Éste bebe de las comedias mudas —Buster Keaton, Charles Chaplin y, sobre todo, Harry Langdon—, llegando a mostrar una dinámica de los objetos que también se observa en las películas de Frank Tashlin protagonizadas por Jerry Lewis o también en las dirigidas por Jacques Tati. En la «rebelión de los objetos» —conejos, zapatos, etc.— de *Tres sombreros de copa*, el protagonista no ha sabido crecer y superar los traumas adolescentes y sufre una relación destructora con los objetos de su entorno, que parecen moverse autónomamente. Encontramos un precedente en *El hombre que compró un automóvil*, escrita también en 1932 por Wenceslao Fernández Flórez.

***Maribel y la extraña familia:* conflicto dramático, perspectiva, proceso de cambio**

«Mi teatro soy yo y una mujer enfrente». Esta frase, dicha por Miguel Mihura, sirve en gran medida como resumen de la producción teatral del autor. Y, en concreto, se adecua a la perfección a la historia expuesta en *Maribel y la extraña familia*, pues la mujer constituye el elemento básico a la hora de tratar otros temas como el amor y a la hora de juzgar el matrimonio. Dos conceptos, reiterados, sobre los que Mihura suele lanzar ataques. Como si el hecho de casarse fuese una obligación impuesta por la sociedad. Y, por tanto, el matrimonio significase el paso definitivo para formar parte de esa sociedad respetable que se define con normas. Observado así, éstas y, por lógica el amor, el matrimonio y sus consecuencias, tiranizarían al individuo.

Maribel y la extraña familia se asienta en la relación que mantienen dos personajes contrapuestos: Marcelino, un muchacho apocado, y Maribel, mujer de la vida. La relación entre ambos, nacida de forma ocasional, muestra dos formas de concebir la vida o, si se quiere, dos formas de estar en ella. Si Marcelino representa a quienes están integrados y acomodados en la sociedad, Maribel, por el contrario, es el prototipo de quienes escapan a los convencionalismos que la rigen. Lo cual, no significa que en la obra se asista a la típica lucha de clases. No, porque, como ya se ha dicho, a Mihura esa problemática no le interesa. Sus obras no buscan el compromiso social, aunque quede reflejado mediante el choque convencionalismo-individuo. Como máximo, los personajes muestran una forma de comportarse, bien mediante un conformismo ante la sociedad en la que habitan, bien usando la ironía y el escepticismo contra ella. Y poco más. No hay enfrentamiento con la sociedad. A lo sumo, veloces instantáneas de cómo es ésta. En la definición del humor citada anteriormente, Mihura deja claro que con éste «no se propone enseñar o corregir porque no es ésta su misión». No es ésa la misión del uso que el autor madrileño hace del humor, como tampoco será ésa la función del conjunto de su literatura. Sin embargo, como escribió Bentley, no hay que olvidar que «si a la comedia le quitamos su tono frívolo, se convierte en un teatro social serio».

Mihura indaga en el conflicto entre hombre y mujer. Es decir, aprovecha el uso dramático de la pareja. Y, en éste, coloca dos tipos humanos frente a frente, con sus marcadas características distanciándolos al principio de la obra: Maribel es abierta, libre y al margen de toda convención social, mientras que Marcelino se muestra a vueltas con su timidez, su dependencia materna, su infantilismo y su apego a las reglas sociales en su necesidad de hallar esposa. Dos polos enfrentados que, pese a su esperada y lógica repulsión, acaban por atraerse y fundirse al final de la obra. He aquí una de las claves —y del «dramatismo»—. La historia no llega al desenlace que sería lógico: descubrir el error sobre el que se ha instalado la relación entre ambos y, en consecuencia, la separación definitiva de dos personas y de dos mundos incompatibles.

Asimismo llaman la atención los ambientes, tan alejados, donde se ubica el conflicto de la obra: la familia, elemento centrífugo y clave en el concepto de una sociedad sujeta a leyes, y mundo de la prostitución, elemento totalmente contrario, disgregador y casi al margen de la misma sociedad. Y, por supuesto, llama la atención su tratamiento: la realidad física y espiritual aparece reflejada de forma más clara en el mundo marginal —forma de vestir, forma de pensar, etc.—, mientras que la extrañeza, lo raro se manifiesta con más intensidad en el ámbito de Marcelino y su familia —lenguaje gastado, lleno de clichés y frases hechas, por ejemplo—. Hay, pues, un intercambio o una inversión de papeles de la norma social. La prostitución es quien conforma lo anormal dentro del mundo regido por las convenciones. Es decir, Maribel y sus amigas deberían ser quienes encarnasen la rareza. Sin embargo no es así. Estamos ante un equívoco. Otro más de los muchos existentes en la obra. Interesa observar, además, la esencia de la mirada que ofrece el autor —obligando también al espectador— con este cambio de papeles.

No obstante, lo extraño de Marcelino y su familia descansa en condicionantes especiales que deben ser tenidos en cuenta. La bondad, la ternura, lo sentimental están presentes tanto en los actos como en los diálogos. En esos pilares descansa, en el fondo, toda la extrañeza derivada de la distorsión continua de la realidad que lleva a cabo Mihura. Tampoco debe olvidarse que lo raro llama la atención más que lo normal. Distorsionar, por tanto, es atraer, primero, y cambiar de perspectiva, después. De ahí que el cambio mostrado por Maribel al final de la obra —de la visión realista a la ingenuidad ¿interesada?— parezca tan normal. Pero, pese a conllevar la felicidad, no deja de ser un autoengaño.

Dispuesto así el engranaje de la obra, el uso del amor como elemento de ligazón y la función del matrimonio con certificación de la unión definitiva están a la vuelta de la esquina. Para conseguirlo —y a eso se destina todo el desarrollo de la historia teatral de *Maribel y la extraña familia*— estarán las conversaciones y las experiencias compartidas entre ambos personajes que, como es lógico, permiten el acercamiento entre ellos y de los respectivos mundos que ambos representan. Junto a estos personajes, otros apuntalan el caminar de esta relación hasta el desenlace final. Y lo apuntalan con la ramificación de la duda central mediante temas menores diversos que, no obstante, acaban recuadrando esa duda. Al final, se produce el acercamiento con un desenlace feliz. Una felicidad que esconde la cesión y abandono de lo que es esencial y suyo por parte de uno de ellos. Hablamos de Maribel.

Otra de las claves de esta obra no está en el enfrentamiento de las dos formas de ver el mundo —lo convencional y lo marginal— que actúa como anécdota, sino en la ambigüedad, la falsedad y en la falta de comunicación que dan asiento a la relación hombre-mujer. Lo que comienza de forma ambigua y azarosa va girando hasta configurar la problemática de una transformación. Cuando menos para una de las partes. Al final, la transformación afecta de tal manera a un protagonista, a Maribel, que ésta asume el modo de vida característico del contrario, Marcelino. Hay, digámoslo así, una «marcelinización» de Maribel. Se trata, como ya se ha apuntado, de una transformación con final feliz. Pero esa felicidad termina por ser aparente, puesto que Mihura al final de *Maribel y la extraña familia* sorprende al espectador con unas palabras clave de Marcelino: «Tú antes ibas a hablarme de tu vida, y yo no quiero saber nada, Maribel» (Acto III). Es decir, finalmente Marcelino no es tan apocado, estúpido o infantil como parecía a lo largo de la obra. En su actuación, también habita la ambigüedad y la mentira. Hay, por tanto, otra vuelta de tuerca del tema. Algo que no se esperaba.

Todo gira en torno al equívoco. Un equívoco que se ramifica en varias direcciones para después retornar al punto de partida. Un equivoco tratado con humor. Ambigüedad, suposición y equivoco como motor del humor de Mihura. Y, también, como fusión de dos formas de concebir la vida, dos polos que deberían repelerse. Maribel es una chica de alterne que no esconde su realidad marginal. Al contrario, intenta decir la verdad, pero, en varias ocasiones, las conversaciones con Marcelino y su familia o circunstancias puntuales diversas se lo impiden. Marcelino, además de depender de su madre, no duda en aceptar todas las normas sociales y, entre ellas, la necesidad del matrimonio. Si éste parece ciego ante la realidad, Maribel, que no lo parece al comienzo de la obra, en contacto con ese mundo de ciegos, acabará también cegándose.

Una mirada en un bar de alterne es el punto de partida. Lo que para Maribel es un servicio profesional más, para Marcelino significa la atracción y el amor, previos al matrimonio. El enredo está servido. La cita sexual deriva en presentación familiar y la chica de alterne inicia su «marcelinización» cuando asume la primera mentira y, en consecuencia, realiza el primer borrado de fronteras entre las dos concepciones de vida que ambos representan. Lógicamente la historia de este equívoco es servida en tres actos, emparedados por una presentación y un desenlace que acumulan idas y venidas, dudas y resoluciones, intriga... estirando y ramificando así la obra. Para mantener la anécdota del equívoco surgen contratiempos —positivos y negativos— que actúan como retardadores del desenlace, al tiempo que crean intriga —en especial, desde la inclusión de ésta al finalizar el segundo acto— y refuerzan la tensión dramática.

La concepción y estructura de *Maribel y la extraña familia* puede responder muy bien a unas declaraciones de Miguel Mihura: «En las comedias y en las cartas de amor sobra casi todo. Lo único que interesa es el encabezamiento y la despedida». Lo que de verdad posee fuerza es la situación inicial y su desenlace, porque en medio tan sólo hay un sinfín de subsituaciones que sirven para hermanar lo real y lo inverosímil. Un hermanamiento articulado en torno a la lógica que, por supuesto, incluye también la lógica especial que aporta el humor. La lógica del sinsentido. El humor es quien posibilita la normalización de las rupturas del orden lógico que conllevan los aspectos no creíbles o inverosímiles. El humor y la meticulosa precisión del autor en la estructura. Y, también, en los personajes, acotados por el lenguaje y por el comportamiento en escena.

Por otra parte, Maribel nunca ha pensado en cambiar de clase social, en abandonar su vida. Es el azar quien le obliga a ello. El azar, acompañado de la bondad de Marcelino y de su familia. Una bondad que raya en la estupidez. Éstos, por ejemplo, en la condición frívola y de profesional del sexo que encarna Maribel, sólo ven un sentido de vida moderno de una joven actual. Y así sucesivamente. La reiteración de estas «novedosas» visiones y el contacto de Maribel con la «extraña» familia conlleva en ella la aparición y sedimentación de una nueva perspectiva que, poco a poco, acaba por transformarla como persona y, en consecuencia, transformando también su concepto de ver y de vivir la vida. Observada desde esta perspectiva, *Maribel y la extraña familia* es la visualización de un proceso de cambio, la adquisición de otra mentalidad. Y, en verdad, Maribel pasa, como ya se ha apuntado, de la visión realista de su vida a la aceptación ingenua de lo que otros le cuentan de la vida. La vida, por tanto, no es unidireccional, existen más formas de observarla. Mihura trata la coherencia existente entre dos polos opuestos. Es decir, la vida no es blanca o negra, caben otras muchas posibilidades. Posibilidades que pueden escapar a la lógica.

Posibilidades que, además —a pesar de lo que Mihura ha afirmado en declaraciones y escritos—, muestran la corrosión de la mirada social. Una mirada que se lleva a cabo bajo los subterfugios de la «nobleza» de sus normas y de la moralidad de su principios. La falsedad habita en los convencionalismos sociales y no en los individuos. Basta salirse de uno mismo y mirarse en un espejo —tal como el mismo autor afirma en la cita ya comentada de *Mis memorias*— desde la distancia para observar esa falsedad unívoca que impone la mirada social.

También es interesante ver que el conflicto y la transformación se viven en el mundo que posee más configuración real en la obra —el marginal de las prostitutas—. Y que éste, a pesar de las reticencias y de la extrañeza, se desarrolla especialmente en el interior de Maribel. Por imposición de los demás. La extraña familia hace que Maribel viva su «infierno» de dudas que le van limando la postura mostrada al inicio de la obra. Es decir, en el fondo, no se es como uno cree ser, sino como los demás le ven y le dicen que es. Eso es lo que dice Marcelino a Maribel. En suma, se vive en las palabras. Las palabras que recuadran la imagen que los demás personajes tienen de Maribel. La imagen de los demás está por encima de la de Maribel.

Finalmente, apuntar un aspecto de interés: pese al uso de dos personajes contrapuestos y de dos mundo frente a frente, no se da la clásica dicotomía entre personajes buenos y malos. La bondad habita en todos ellos, de formas diversas —«lo que pasa es que ahora a las personas inocentes y buenas se las llama locas y maniáticas, porque la verdadera bondad, por ser poco corriente, no la comprende nadie»—. La maldad, pese a las apariencias, no existe. Si el bloque familiar que encarnan Marcelino, su madre y su tía, como bloque que se atiene a las normas sociales, está lleno de bondad —con senilidad y puerilidad, incluidos—, el mundo de la prostitución, pese a su rango más realista, también está cargado de ella. Una bondad que corre pareja a la ingenuidad, manifestada en distintos grados —véase actuaciones y diálogos de Pili, Rufi y Niní, sin olvidar las acotaciones del autor—. Cuando se dibujan en la escena aspectos negativos, éstos son simples celos, precauciones y sospechas, nunca indicios de maldad.

Esta edición

El texto de *Maribel y la extraña familia* —comedia en tres actos— corresponde al estrenado en el Teatro Infanta Beatriz de Madrid el 29 de septiembre de 1959.

Su dificultad es mínima. Tanto en lo que respecta al apartado de las referencias —espaciales, ambientales, etc.— como a la estructura utilizada o en lo que concierne a la lengua con la que se construye la comedia, Mihura se muestra diáfano. A lo sumo, hay que tener muy presente que el humor lo cubre todo y que, por tanto, sobre el significado lineal de una palabra, de una frase o de un diálogo, por lo general, se encumbran otros significados a los que se debe estar atento. Como muestra valga la siguiente acotación que sigue a los personajes nada más comenzar la obra: «La acción en Madrid. Época actual. Derechas e izquierdas, las del espectador».

Maribel y la extraña familia

Comedia en tres actos
(Premio Nacional de Teatro 1959-1960)

A Maritza Caballero
MIGUEL

Esta obra se estrenó en Madrid, en el Teatro Beatriz, la noche del 29 de septiembre de 1959.

REPARTO

(Por orden de aparición)

DOÑA PAULA	Julia Caba Alba
DON FERNANDO	Pedro Oliver
DOÑA VICENTA	Julia Moya
DOÑA MATILDE	María Bassó
MARCELINO	Paco Muñoz
MARIBEL	Maritza Caballero
DON LUIS	Gregorio Alonso
RUFI	María Luisa Ponte
PILI	Irene Gutiérrez Caba
NINÍ	Eulalia Soldevila
DON JOSÉ	Erasmo Pascual

DECORADOS: Sigfrido Burmann
DIRECCIÓN: Miguel Mihura

La acción en Madrid. Época actual.
Derechas e izquierdas, las del espectador.

ACTO PRIMERO

La escena representa el saloncito y cuarto de estar de una vieja casa de la calle de Hortaleza, en Madrid.

Una casa burguesa y amplia, que quizá fuera lujosa hace sesenta años, pero que en la actualidad resulta recargada y divertidamente pasada de moda, ya que en todos estos años no se ha cambiado ni un mueble, ni una cortina, ni un pañito, ni un cachivache. Y, sin embargo, todo está limpio, lustroso y como nuevo, y en todos los detalles se aprecia el femenino esmero con que el piso es cuidado.

En el foro hay una amplia puerta que da a un pequeño recibidor. Y, frente a esta puerta, debemos ver bien la de entrada al piso, con su correspondiente mirilla y cerrojo de seguridad. Tras esta segunda puerta —que juega—, forillo[1] *de escalera.*

Por el pequeño recibidor, a la izquierda, hay paso para que los personajes entren y salgan, suponiéndose que por este lado está el pasillo que conduce al resto de las habitaciones.

En el lateral izquierdo, una puerta cerrada, que comunica con otra habitación. Y, a la derecha, haciendo chaflán[2] *con el foro, un es-*

[1] *forillo:* en teatro, telón pequeño situado detrás y a distancia conveniente del telón de foro, en el que hay puerta u otra abertura semejante (DRAE).

[2] *chaflán:* unión de dos paramentos planos formando ángulo en lugar de una esquina.

pacioso mirador de cristales, dentro del cual hay sitio suficiente para una mesita, una butaca y dos jaulas. Una con canarios y la otra con una cotorra.

Retratos al óleo familiares. Viejas fotografías. Y, como muebles principales para el juego escénico, tendremos un piano pegado al paño[3] *de la izquierda. Una mesa redonda, colocada hacia la derecha y rodeada de tres sillas. Y hacia la izquierda, un sofá, una sillita dorada, muy ligera, y una mesa pequeña sobre la que hay un moderno tocadiscos, que es el único objeto que rompe el equilibrio de austeridad que da clima a la escena.*

Estamos a principios de verano y son las siete de la tarde. Las persianas de paja del mirador están echadas para que no entre el resplandor ni el calor de la calle.

Antes de levantarse el telón, y ya con la batería encendida, oímos un «rock and roll» interpretado por Elvis Presley.

Y cuando el telón se alza, vemos a DOÑA PAULA *que escucha este disco, arrobada y feliz, sentadita junto al gramófono.*

(DOÑA PAULA *es una limpia y simpática viejecita que puede tener muchísimos años. El cabello blanco y bien peinado. El vestido negro y severo con algún encaje*[4]. *El abanico colgando de una cadena que lleva al cuello. El porte y el empaque*[5] *de una verdadera señora de la clase media acomodada. Y junto a la mesa redonda, sentados en dos sillas, hay una visita que también escucha:* DOÑA VICENTA *y* DON FERNANDO. *Un matrimonio insignificante, con aire modesto, aunque van bien arregladitos. De cincuenta a sesenta años cada uno. Y mientras escuchan el disco sin*

[3] *paño:* en teatro, el tapiz u otra colgadura.
[4] *encaje:* tejido que se hace con bolillos, aguja de coser o de gancho.
[5] *empaque:* catadura, aire de una persona.

demasiado interés, van comiendo chocolatinas de una caja de cartón que hay sobre la mesa. El disco termina y DOÑA PAULA, *entusiasmada, se dirige al matrimonio, que durante toda la escena mantendrá un gesto indiferente y como distante).*

DOÑA PAULA.—¿Qué? ¿Qué les ha parecido?
DON FERNANDO.—Precioso.
DOÑA VICENTA.—Y muy fino.
DOÑA PAULA.—Pues me lo ha traído mi hermana, que ha salido a la calle, y que desde que está aquí se obstina en hacerme regalitos casi constantemente. Y es que es una santa, una verdadera santita. Tanto es así que, a pesar de ser mi única hermana, yo la quiero muchísimo... Ahora la conocerán ustedes. Ha ido a cambiarse de vestido y enseguida vendrá. Claro que yo hubiera preferido que en lugar de este «rock and roll» de Elvis Presley, me hubiera traído un «blue» de Louis Armstrong; pero por lo visto no había en la tienda... Y es que la música moderna se agota enseguida... ¡Es tan líricamente emocionante! *(Se levanta con el disco en las manos, que ha quitado del plato).* Con el permiso de ustedes, voy a meterlo en la bolsa para que no coja pelusa[6]... Son tan delicados estos microsurcos[7] de cuarenta y cinco revoluciones, que se deterioran por cualquier bobada... *(Y va hacia un mueblecito que hay al fondo).* Y ya lo colocaré en mi discoteca, que por cierto va creciendo como la espuma. Con este disco, ya casi tengo tres... *(Y cuando está colocando el disco en el mueblecito, aparece en la puerta del fondo, saliendo*

[6] *pelusa:* polvo.
[7] *microsurcos:* disco cuyas estrías finísimas y muy próximas, permiten registrar, en el mismo espacio que los discos antiguos, mayor cantidad de sonidos.

por la izquierda, su hermana DOÑA MATILDE. *Más o menos de la misma edad, y más o menos igual vestida).* ¡Ah! Aquí está mi querida hermana... Pasa, pasa, no te quedes ahí. *(Y la coge de un brazo y la lleva hasta la mesa donde está el matrimonio, que se levanta para saludar).* Les voy a presentar a ustedes a mi querida hermana Matilde.

DOÑA MATILDE.—Mucho gusto.

DOÑA PAULA.—Y esta visita tan agradable, compuesta de este señor y esta señora.

DOÑA VICENTA.—Encantada de conocerla.

DON FERNANDO.—Lo mismo digo.

DOÑA PAULA.—Siéntate aquí, Matilde, siéntate... *(Y le señala un sitio a un lado, en el sofá de la izquierda, y las dos se sientan sonrientes, mientras se dirige a* DOÑA VICENTA *y a* DON FERNANDO*).* Y ustedes también pueden sentarse.

DOÑA VICENTA.—Gracias.

DON FERNANDO.—Gracias. *(Y también se sientan sonrientes).*

DOÑA PAULA.—Les he hecho oír el precioso disco de Elvis Presley, y no sabes los elogios tan entusiastas que me han hecho de él. Todo lo que te diga es poco...

DOÑA MATILDE.—Me alegro mucho de que les haya agradado.

DOÑA PAULA.—Y, por cierto, ¿dónde has ido a comprarlo, mi querida Matilde?

DOÑA MATILDE.—Pues he ido a comprarlo a una tienda de la calle de Fuencarral.

DOÑA PAULA.—*(Asombrada).* ¡No me digas! ¿Pero has ido hasta la calle de Fuencarral?

DOÑA MATILDE.—Pero si vivimos en la calle de Hortaleza, mujer...

DOÑA PAULA.—De todos modos, has tenido que cruzar de acera a acera... ¡Pero qué horror, Matilde! ¡No debes hacer esas locuras! *(Al matrimonio).* Yo vivo hace sesenta años en esta misma casa de la calle de Hortaleza, y nunca me he atrevido a llegar hasta la calle de Fuencarral... ¡Y eso que me han hablado tanto de ella! *(A* DOÑA MATILDE). ¿Cuál de las dos es más bonita? Cuéntame, cuéntame...

DOÑA MATILDE.—Son dos estilos diferentes. No pueden compararse...

DOÑA PAULA.—¿Pero tienen árboles? ¿Estatuas? ¿Monumentos?

DOÑA MATILDE.—Si he de decirte la verdad, no me he fijado bien. Sólo crucé la calle, entré en la tienda, compré a Elvis Presley y me volví a casa... Pero a mi juicio, es más estrechita.

DOÑA PAULA.—¿Cuál de las dos? ¿Esta o aquella?

DOÑA MATILDE.—De eso precisamente es de lo que no me acuerdo yo muy bien...

DOÑA PAULA.—¡Ah! Siendo así no he perdido nada con no verla... *(Al matrimonio, que sigue picando de las chocolatinas).* ¿Y les gustan a ustedes las chocolatinas? Son de la fábrica de mi hermana...

DOÑA MATILDE.—Mi marido al morir me dejó la fábrica, y mi hijo ahora está al frente de ella. ¡Ah! Las famosas chocolatinas «Terrón e Hijo». Producimos poco, pero en calidad nadie nos aventaja... Ustedes mismos habrán comprobado que son verdaderamente exquisitas.

DOÑA PAULA.—La fábrica está emplazada en un pequeño pueblo de la provincia de Cuenca, a ciento y pico de kilómetros de Madrid, y junto a la fábrica, en un chalet, vive mi hermana con su hijo, que a la vez es mi sobrino, y a quien también quiero bastante... Un chico verdaderamente encantador; fino, agradable, educado y amante del trabajo. Para él solo existe su fábrica y su mamá. Su mamá y sus chocolatinas. Y esta es toda su vida.

DOÑA MATILDE.—Y ahora hemos venido a pasar una temporada aquí, a casa de mi hermana Paula, para ver si el chico encuentra novia en Madrid y por fin se casa. Porque allí, en aquella provincia, es decir, en el pueblo donde tenemos la fábrica y donde vivimos, figúrense qué clase de palurdas se pueden encontrar… Chicas anticuadas en todos los aspectos, tanto física como moralmente…

DOÑA PAULA.—Y ya conocen ustedes nuestras ideas avanzadas. Nada de muchachas anticuadas y llenas de prejuicios como éramos nosotras… ¡Qué horror de juventud la nuestra! Porque si yo no he salido a la calle hace sesenta años, desde que me quedé viuda, no ha sido por capricho, sino porque me daba vergüenza que me vieran todos los vecinos que estaban asomados a los balcones para criticar a las que salían…

DOÑA MATILDE.—¡Qué época aquella en que todo lo criticaban! ¡El sombrero, el corsé, los guantes, los zapatos!

DOÑA PAULA.—Había un sastre en un mirador, siempre observando, con un gesto soez, que me llenaba de rubor… Y después empezaron los tranvías y los automóviles, y ya me dio miedo que me atropellaran, y no salí. Y aquí lo paso tan ricamente escuchando música de baile y escribiendo a los actores de cine de Norteamérica para que me manden autógrafos…

DOÑA MATILDE.—Por eso, para mi hijo, yo quiero una muchacha moderna, desenvuelta, alegre y simpática que llene de alegría la fábrica de chocolatinas.

DOÑA PAULA.—Una muchacha de las de ahora. Empleada, mecanógrafa, enfermera, hija de familia, no importa lo que sea… Rica o pobre, es igual…

DOÑA MATILDE.—El caso es que pertenezca a esta generación maravillosa… Que tenga libertad e iniciativas…

DOÑA PAULA.—Porque mi sobrino es tan triste, tan apocado, tan poquita cosa… Un provinciano, esa es la palabra…

DOÑA MATILDE.—Es como un niño, figúrense. Siempre sin separarse de mis faldas…

DOÑA PAULA.—Pero por lo visto ya ha encontrado la pareja ideal.

DOÑA MATILDE.—Y él solito, no crean...

DOÑA PAULA.—Como yo no tengo relaciones sociales, porque las viejas me chinchan y las jóvenes se aburren conmigo, no he podido presentarle a nadie. Pero el niño se ha ambientado enseguida y parece ser que ha conocido a una señorita monísima, muy moderna y muy fina, y a lo mejor la trae esta tarde para presentárnosla.

DOÑA MATILDE.—¡Y tenemos tanta ilusión por conocerla!...

DOÑA PAULA.—Siempre hemos odiado nuestra época y hemos admirado esta generación nueva, fuerte, sana, valiente y llena de bondad...

DOÑA MATILDE.—¡Qué hombres los de antes, que se morían enseguida!

DOÑA PAULA.—A mí, el mío me duró solamente un día y medio. Nos casamos por la mañana, pasamos juntos la noche de bodas y a la mañana siguiente se murió.

DOÑA MATILDE.—Y es que se ponían viejos enseguida. Yo tuve la suerte de que el mío me durase un mes y cinco días, a base de fomentos[8]. Pero ya te acordarás, Paula. Tenía veintidós años y llevaba una barba larga, ya un poco canosa... Y tosía como un condenado.

DOÑA PAULA.—Según dice mi médico, ahora también se mueren antes que las mujeres, pero no en semejante proporción.

DOÑA MATILDE.—Yo creo que lo que les sucede es que el amor les sienta mal.

DOÑA PAULA.—Y los pobres se obstinan en hacerlo, creyendo que con ello nos complacen... ¡Pobrecillos!

---

[8] *fomentos:* medicamento líquido que se aplica exteriormente.

DOÑA MATILDE.—¡Por presumir de hombres, y contarlo luego en el Casino, son capaces hasta de morir!

DOÑA PAULA.—En efecto, en efecto... *(Y de repente,* DOÑA PAULA *se dirige al matrimonio, que sigue en el mismo sitio, imperturbable, y les dice).* ¡Ah! ¿Pero se van ustedes ya? ¡Huy! ¡Pero qué lástima!

DOÑA MATILDE.—¡Qué pronto! ¿Verdad?

DOÑA PAULA.—*(Se levanta).* Nada, nada, si tienen ustedes prisa, no queremos detenerles más.

DOÑA MATILDE.—*(Se levanta).* Claro que sí... A lo mejor se les hace tarde.

(Y el matrimonio, entonces, se levanta también).

DOÑA PAULA.—Pues les agradecemos mucho su visita.

DOÑA MATILDE.—Hemos tenido un verdadero placer.

DOÑA PAULA.—*(Ha sacado de un bolsillo un billete de cincuenta pesetas, que le entrega a* DOÑA VICENTA). ¡Ah! Y aquí tienen las cincuenta pesetas.

DOÑA VICENTA.—Muchísimas gracias, doña Paula.

DOÑA PAULA.—No faltaba más.

DON FERNANDO.—Buenas tardes, señoras...

DOÑA MATILDE.—Buenas tardes.

(Y DOÑA PAULA *les ha ido acompañando hasta la puerta de salida, por donde hacen mutis* DOÑA VICENTA *y* DON FERNANDO. *Cierra la puerta y vuelve con su hermana).*

DOÑA PAULA.—Muy simpáticos, ¿verdad?

DOÑA MATILDE.—Mucho. Muy amables.

DOÑA PAULA.—Una gente muy atenta.

DOÑA MATILDE.—¿Y quiénes son?

DOÑA PAULA.—Ah, no lo sé... Yo les pago cincuenta pesetas para que vengan de visita dos veces por semana.

DOÑA MATILDE.—No está mal el precio. Es económico.

DOÑA PAULA.—A veinticinco pesetas la media hora... Pero te da mejor resultado que las visitas de verdad, que no hay quien las aguante y que enseguida te dicen que les duele una cosa o la otra... Estos vienen, se quedan callados, y durante media hora puedes contarles tus problemas, sin que ellos se permitan contarte los suyos, que no te importan un pimiento...

DOÑA MATILDE.—Viviendo sola como vives, es lo mejor que puedes hacer...

DOÑA PAULA.—Y el día de mi santo les pago una tarifa doble; pero tienen la obligación de traerme una tarta y venir acompañados de un niño vestido de marinero, que siempre hace mono... ¿No crees? (DOÑA MATILDE *se queda callada).* ¿Por qué te callas? ¿En qué piensas?...

DOÑA MATILDE.—No. No pensaba en nada. Pero yo creo que debíamos ir preparando ya las cosas...

DOÑA PAULA.—¿Qué cosas?

DOÑA MATILDE.—El niño no tardará en venir, ¡y si a lo mejor viene con ella!

DOÑA PAULA.—¡Es verdad! ¡Mira que si a lo mejor viene con ella! ¿Qué tenemos que hacer?

DOÑA MATILDE.—*(Haciendo lo que dice).* Ante todo, subir un poco las persianas del mirador para que entre más luz. Esto está un poco oscuro, y si ella viene y ve todo tan triste...

DOÑA PAULA.—Me parece muy bien... Son cerca de las siete y el calor va pasando ya...

DOÑA MATILDE.—*(Que está junto a la cotorra).* ¿Y la cotorra, Paula?

DOÑA PAULA.—¿Qué hay con la cotorra?

DOÑA MATILDE.—¡Si a ella no le gustase!

DOÑA PAULA.—¿Por qué no iba a gustarle? ¡Es verde y tiene plumas! Y a mí me acompaña.

DOÑA MATILDE.—Pero una cotorra da vejez a una casa. Y las chicas modernas prefieren los perros, que son alegres y dan saltos.

DOÑA PAULA.—*(Que ha ido, conmovida, junto a su cotorra).* Todo te lo consiento, menos que me quites a mi cotorra... Eso no, Matilde.

DOÑA MATILDE.—Bueno. Como tú quieras... ¿Mandaste a la asistenta que subiese ginebra?

DOÑA PAULA.—Sí. Ya está todo preparado en la cocina para hacer el «gin-fizz».

DOÑA MATILDE.—¿Y los ceniceros? ¿Los buscaste?

(DOÑA PAULA *saca del cajón de un mueble unos ceniceros).*

DOÑA PAULA.—Sí. Aquí los tengo para repartirlos por las mesas.

DOÑA MATILDE.—Pues ya podemos ir haciéndolo, porque el niño me ha dicho que ella fuma muchísimo...

DOÑA PAULA.—*(Con un tono triste y apenado).* ¿Y nadar? ¿También sabrá nadar?

DOÑA MATILDE.—*(Con el mismo tono).* No hay que pensar en eso, Paula. Y, además, posiblemente sepa.

(Y entre las dos reparten los ceniceros por las mesas).

DOÑA PAULA.—¡Qué maravilla! ¿Verdad? ¡Mira que si por fin viniese hoy!

DOÑA MATILDE.—¡Vendrá, vendrá! Estoy segura de que vendrá... El niño es tímido, desde luego, y ya sabes que las muchachas de hoy se burlan un poco de los chicos tímidos... Pero ya ha hablado con ella varias veces, y esto significa haber ganado la batalla.

DOÑA PAULA.—*(Con tristeza).* ¡Y pensar que a mí esta batalla me da un poco de miedo!

DOÑA MATILDE.—Vamos, mujer... No debes preocuparte. Lo que pasó una vez, no tiene por qué volver a repetirse...

(Estas frases finales las han dicho sentadas junto a la mesa redonda, de espaldas a la puerta del foro. Y se ha producido un silencio, durante el cual, sin hacer ruido, ha entrado por la puerta de la escalera MARCELINO, *que tiene llavín*[9]. MARCELINO *puede tener 35 o 40 años. Viste pulcramente; pero el traje, de confección, no le sienta demasiado bien. Se queda mirando a las viejas desde la puerta de la habitación y dice):*

MARCELINO.—¡Mamá!

(Las viejas se vuelven y van hacia él, que, a su vez, avanza).

DOÑA MATILDE.—¡Hijo mío!

DOÑA PAULA.—¡Marcelino!

MARCELINO.—Tía...

(Y se besan).

DOÑA MATILDE.—¿Pero vienes solo? ¿Qué te pasa?

DOÑA PAULA.—¿Estás malo?

[9] *llavín:* llave pequeña.

MARCELINO.—No. No me pasa nada... Estoy perfectamente bien.
DOÑA PAULA.—¿Y la chica, entonces?
MARCELINO.—Vendrá ahora. Enseguida.
DOÑA MATILDE.—¿Es posible?
MARCELINO.—Sí, claro.
DOÑA PAULA.—¿Y por qué no ha venido contigo?
MARCELINO.—Ha ido a acompañar a una amiga, a no sé qué sitio, muy cerca de aquí, y ahora mismo vendrá.
DOÑA MATILDE.—¿Ella sola o con su amiga?
MARCELINO.—No sé. Me ha parecido mal preguntárselo. El caso es que va a venir y que estoy muy contento.
DOÑA PAULA.—¿Le has dado bien las señas de la casa?
MARCELINO.—Sí. Claro que sí... Se llama Maribel, ¿sabéis?
DOÑA MATILDE.—Es muy bonito nombre... ¡Maribel!
MARCELINO.—Y ella es tan simpática...
DOÑA MATILDE.—Dime, hijo mío... ¿Y ya le has dicho que estás enamorado? ¿Que quieres hacerla tu mujer?
MARCELINO.—No me he atrevido, la verdad... Ya conoces mi manera de ser. Mi torpeza para estas cuestiones... Le he hablado de muchas cosas, qué sé yo... De lo mismo que hemos hablado los demás días que nos hemos visto... De vaguedades, de tonterías, de nada concreto... Y es que el ruido de ese bar donde nos encontramos, me descompone y me ataca los nervios... Todo el mundo habla y habla, y chilla, y pide cosas... Y yo no estoy acostumbrado a estos ambientes, que me aturden...
DOÑA PAULA.—¿Y le has dicho que le vas a presentar a tu familia?
MARCELINO.—He preferido no decirle nada para que no se vaya a poner nerviosa o a vestirse de tiros largos. Me gusta como va; sencilla, moderna, elegante. Y es alegre, ¿sabéis? Se ríe por todo, se divierte por todo... *(Suplicante).* ¡Tenéis que ayudarme a que sea mi mujer! ¡A que se venga a vivir con nosotros!

DOÑA MATILDE.—*(Conmovida).* Sí, hijo mío... Claro que te ayudaremos...

DOÑA PAULA.—*(Igual).* ¿Qué no vamos a hacer por ti, mi niño querido?

MARCELINO.—A veces me da tanta vergüenza y tanta rabia el ser como soy...

DOÑA MATILDE.—Pero no debes preocuparte por eso... Hay muchos otros como tú.

DOÑA PAULA.—Ahora, con ella, ya todo te parecerá distinto... Y estarás más alegre.

DOÑA MATILDE.—Y te irás acostumbrando a salir y a entrar... Y a desenvolverte igual que los demás muchachos...

(Suena el timbre de la puerta).

MARCELINO.—Han llamado. Debe de ser ella.

(Y los tres se miran emocionados. Hablan en voz baja).

DOÑA MATILDE.—Recíbela tú, mientras que Paula y yo nos arreglamos un poquito.

DOÑA PAULA.—Y así le vas hablando de nosotras.

MARCELINO.—Sí, sí. Es mejor.

DOÑA PAULA.—Vamos, Matilde.

DOÑA MATILDE.—Sí, vamos, vamos...

(Y silenciosamente las dos hermanas hacen mutis por el pasillo de la puerta del foro. El timbre suena nuevamente. MARCELINO *se arregla un poco la corbata, nervioso, y abre la puerta de la escalera. Entra* MARIBEL. *Es joven, pero sin una edad determinada. Todo su aspecto, sin lugar a dudas, sin la más mínima discusión, es el de esas muchachas que*

hacen «la carrera» sentadas en las barras de los bares americanos. Es una profesional, y no trata de disimularlo para no tener que perder el tiempo. Vestido llamativo. Zapatos llamativos. Peinado llamativo. Ni simpática ni antipática. Natural. Va a lo suyo).

MARIBEL.—Hola.
MARCELINO.—Hola, Maribel... Pasa, pasa por aquí.
MARIBEL.—¿Qué hacías? He llamado dos veces.
MARCELINO.—No oí la primera... Estaba asomado al mirador.
MARIBEL.—*(Ha pasado. Mira todo extrañada).* ¡Anda! ¡Qué piso!
MARCELINO.—¿Te gusta?
MARIBEL.—Bueno, tú... ¿Pero qué es esto? ¿Un museo o qué?
MARCELINO.—No. No es ningún museo... Es mi casa... Bueno, mejor dicho... Yo vivo aquí ahora.
MARIBEL.—Pues hijo. Podíamos haber ido a cualquier otro lado...
MARCELINO.—¿Y a qué otro lado podríamos haber ido?
MARIBEL.—Bueno..., ¡pues que no conozco yo sitios mejores!... Incluso en mi pensión me dejan recibir a algún amigo... En plan discreto, ¿eh? No vayas a pensar... Y mi pensión es mucho más alegre. ¡Menuda habitación tengo yo ahora que han puesto cortinas de cretona[10] en la ventana! De esas de flores, ¿sabes? Y a base de limpio, no creas... Yo pensé que vivías en un departamento...! ¡Pero qué burrada! ¡Qué de chismarracos! ¡Jolín! ¡Pero si hay hasta un loro!
MARCELINO.—No es un loro. Es una cotorra. Se llama *Susana.*
MARIBEL.—*¿Susana?* ¿No te digo? Oye, tú... A mí esta casa no me gusta nada. De verdad, guapo...

[10] *cretona:* tela de algodón, blanca o estampada.

MARCELINO.—¿Pero por qué?

MARIBEL.—No sé. Que no me encuentro a gusto... Me da un poco de miedo tanto cuadro y tanto pajarraco. *(Mira uno de los cuadros que hay en la pared).* ¿Quién es este señor de los bigotes?

MARCELINO.—Mi abuelo materno.

MARIBEL.—¡Vaya una facha, hijo! *(Mira un segundo cuadro).* ¿Y ese de ahí?

MARCELINO.—Otro antepasado.

MARIBEL.—¡Pues vaya un plan! *(Y en su recorrido por la habitación se fija en el tocadiscos).* Menos mal que tienes tocadiscos.

MARCELINO.—¿Te gusta la música?

MARIBEL.—Cuando voy de excursión. *(Coge una caracola que hay sobre cualquier mueble).* ¡Pero si hay hasta una caracola! ¡Es que no falta ni un detalle! *(Se la lleva al oído).* ¿Se escucha con esto el ruido del mar?

MARCELINO.—Sí, creo que sí.

MARIBEL.—Aquí no se oye nada. Esto está descompuesto... *(Y la deja en su sitio).* Dame un pitillo.

(MARCELINO *saca del bolsillo un paquete y le ofrece un cigarrillo a* MARIBEL).

MARCELINO.—Toma.

MARIBEL.—Gracias. ¿Y tú?

MARCELINO.—No fumo. Ya lo sabes.

MARIBEL.—¿Por qué llevas tabaco entonces?

MARCELINO.—Para dártelo a ti.

MARIBEL.—Eres un chico fino. *(Se sienta. Fuma. Se queda mirando a* MARCELINO, *sonriente).* Bueno, ¿y qué dices?

MARCELINO.—Ya ves.

MARIBEL.—Explícame una cosa.

MARCELINO.—¿Qué?
MARIBEL.—¿Cómo es que por fin te has decidido?
MARCELINO.—¿Decidirme a qué?
MARIBEL.—A esto. A traerme. Desde el primer día que caíste por el bar, yo noté que te había gustado. ¿Es verdad o no?
MARCELINO.—Ya lo sabes que sí.
MARIBEL.—Pero como solo te acercabas para hablar de simplezas y nunca concretabas... Y yo no soy como esas otras que enseguida avasallan... ¡Hala! ¡A lo bruto! Yo no. Yo seré todo lo que quieras, pero sé quedarme en mi sitio. Y eso que me caes bien. Pareces un buen chico... *(Él sonríe, sin hablar).* Hablas poco, ¿eh?
MARCELINO.—Te escucho a ti. Y además, es que soy un poco tímido. Ya lo habrás observado.
MARIBEL.—Sí, eso sí que se nota... Bueno, en fin... *(Se levanta).* ¿Y la alcoba?
MARCELINO.—Los dormitorios están al final del pasillo. Esta casa es muy grande.
MARIBEL.—¿Y cómo vives aquí solo? A mí todo esto me da la sensación de una película de cine en relieve... ¿Tú no has visto ninguna? De esas que te dan unas gafas al entrar, con un ojo azul y otro encarnado, o no sé qué líos. Mira. Me acuerdo de una que vi, y me moría de risa... Era de esas de miedo, ¿sabes?... Y es que yo no puedo remediarlo... A mí lo terrorífico me da una risa... *(Y se ríe. Él también. Dejan de reírse. Hay una pausa).* Bueno... ¿qué hacemos?
MARCELINO.—Lo que quieras.
MARIBEL.—Enséñame tu casa, ¿no?
MARCELINO.—Esta no es mi casa. Esta es la casa de mi tía.
MARIBEL.—Mira qué bien... Y aprovechas que está de veraneo para traerte aquí chicas...
MARCELINO.—No, no está de veraneo... Ella no sale nunca, ni siquiera a la calle. Está aquí, con mi madre.

MARIBEL.—¡Qué bromista, hombre!
MARCELINO.—No es ninguna broma, Maribel... Estaban aquí, en esta habitación, cuando tú has llamado y han ido a arreglarse un poco y ahora saldrán y te las presentaré.
MARIBEL.—*(Inquieta, se separa de su lado).* ¡Oye, tú! ¡Guasas, no!
MARCELINO.—¿Por qué van a ser guasas? No te lo he dicho antes, por si te violentaba conocerlas... O por si te molestaba este plan de visita...
MARIBEL.—*(Seriamente enfadada).* Bueno..., ¿pero tú eres tonto o qué te pasa?
MARCELINO.—¿Por qué voy a ser tonto? ¿No es natural que te presente a mi familia?

(MARIBEL *deja el pitillo en un cenicero y coge el bolso).*

MARIBEL.—¡Me marcho! ¡Abre la puerta!

(MARCELINO *se acerca a ella, intentando detenerla).*

MARCELINO.—¡No debes hacer eso, Maribel!
MARIBEL.—¿Quieres dejarme en paz y no tocarme?

(Y en este momento aparece DOÑA MATILDE *por el foro).*

DOÑA MATILDE.—¿Pero qué le sucede a usted, hijita?

(MARIBEL *se queda quieta, sin saber qué hacer.* MARCELINO *la presenta).*

MARCELINO.—Es mi madre, Maribel.
DOÑA MATILDE.—Muchísimo gusto en saludarla, señorita... Es para nosotros un gran placer recibirla en esta casa. Mi hijo me

ha hablado tantísimo de usted, que no sabe los deseos que tenía de conocerla personalmente... Pero siéntese, siéntese...

(MARIBEL *mira a uno y a otro sin saber qué partido tomar. Pero las buenas maneras y el aspecto distinguido de* DOÑA MATILDE *no le permiten dar el escándalo que ella deseara).*

MARIBEL.—Es que tengo un poco de prisa, la verdad...

MARCELINO.—Vamos, Maribel... No debes ser así... Mamá tenía muchos deseos de charlar contigo.

DOÑA MATILDE.—¡Pues claro que sí! ¡Tenemos que hablar de tantas cosas!

MARIBEL.—*(A la defensiva).* ¿De qué cosas, oiga?

DOÑA MATILDE.—Pues ¡de qué va a ser...! De sus amores con mi hijo.

MARIBEL.—Yo no tengo amores con su hijo, señora... Y si él me ha traído aquí...

DOÑA MATILDE.—Ya sé que, de momento, solo ha habido entre ustedes un ligero flirteo[11]... ¿no es así? Pero todo llegará, andando el tiempo... Y yo estoy segura de que van ustedes a ser muy felices... Y es más. Quiero decirle una cosa, que seguramente le halagará... Mi hijo me había hecho muchos elogios de usted. Pero todos son pocos ante la realidad. Es usted una criatura realmente encantadora... Pero siéntese, siéntese...

(MARIBEL *vuelve a mirar a los dos, que están sonrientes y felices. Y, tímidamente, se sienta, estirándose la falda para que no se le vean demasiado las piernas).*

---

[11] *flirteo:* ligue.

MARIBEL.—Con su permiso.

(Y de nuevo se levanta cuando escucha la voz de DOÑA PAULA, *que ha salido por la puerta del foro).*

DOÑA PAULA.—¡Ay, qué bien! ¡Si por fin ha venido! ¡Si por fin ha venido!
MARCELINO.—Pasa, tía. Mira, Maribel. Te voy a presentar a mi tía Paula, la hermana de mi madre... Ella es la dueña de esta casa, donde mamá y yo estamos pasando unos días.
DOÑA PAULA.—¡Encantada! ¡Encantada! ¡Pero qué mona! ¡Pero si es una chica preciosa! Muchísimo gusto en conocerla, hija mía... Muchísimo gusto.
MARIBEL.—Lo mismo le digo.
DOÑA MATILDE.—Pero siéntese, siéntese.
MARIBEL.—Con su permiso...

(Y vuelve a sentarse, acobardada. Lo más recatadamente posible).

DOÑA PAULA.—¡Y qué moderna va vestida! ¿Pero te has fijado qué zapatos, Matilde? Son elegantísimos.
DOÑA MATILDE.—Claro que me he fijado... Pues ¿y la blusita? ¿Y el peinado?... ¡Y todo! Una verdadera monería.
MARCELINO.—Ya os dije que os iba a gustar mucho.
DOÑA MATILDE.—¿Cómo mucho? ¡Una barbaridad! ¡Es una criatura encantadora!
DOÑA PAULA.—Ya sabemos que ha congeniado usted con mi sobrino, y no sabe lo que lo celebramos... Y ahora, después de tener el gusto de conocerla, mucho más... Parece que han nacido ustedes el uno para el otro. ¿Verdad, Matilde?

DOÑA MATILDE.—Claro que sí, Paula.
DOÑA PAULA.—¿Y nosotros qué le parecemos?
MARIBEL.—Pues qué sé yo... Así al pronto...
MARCELINO.—La encontraréis un poco cohibida, pero es que se ha llevado una sorpresa cuando le he dicho que os iba a presentar... Creyó, incluso, que se trataba de una broma.
MARIBEL.—Es que una no está acostumbrada a estas cosas, la verdad... Y vamos...
DOÑA PAULA.—Las chicas modernas, ya se sabe... Se puede decir que viven un poco al margen del hogar y, por consiguiente, no son muy propicias a las reuniones familiares.
DOÑA MATILDE.—Fiestas, cócteles, espectáculos... ¿Es cierto o no?
MARIBEL.—Sí. Algo de eso hay.
DOÑA MATILDE.—Y hace usted muy bien, hija mía. Si nosotras, en nuestra época, hubiéramos podido disfrutar de esta libertad de que ustedes disfrutan...
DOÑA PAULA.—¡Pero los prejuicios y la estrecha moralidad, con todas sus monsergas, nos impedían toda clase de iniciativas!
DOÑA MATILDE.—A propósito, ¿quiere usted que pongamos un poco de música? Tenemos música moderna.
MARIBEL.—No, gracias... Me voy a ir enseguida.
MARCELINO.—Pero, por Dios, Maribel. Si es tempranísimo.
MARIBEL.—*(Con rabia).* Tú te callas, ¿quieres?
MARCELINO.—Perdona.
DOÑA PAULA.—¿Quiere usted probar una chocolatina?

(Y se levanta para ir a buscar una caja de chocolatinas, que después ofrece, abierta, a MARIBEL*).*

DOÑA MATILDE.—Son de nuestra fábrica. Supongo que mi hijo le habrá dicho que poseemos una fábrica de chocolatinas.

MARIBEL.—No, no me ha dicho nada. ¡Qué me va a decir este!
DOÑA MATILDE.—¡Pero cómo eres, hijo!
MARCELINO.—Me ha parecido mejor que se lo dijerais vosotras...
DOÑA MATILDE.—Tiene usted que disculparle, pero ya se habrá dado cuenta de que es un poco vergonzoso y, sobre todo, tiene muy poca costumbre de tratar con señoritas modernas, así como es usted.
MARIBEL.—Sí, eso ya se nota...

(Y ya no puede contener la risa. Se ríe a carcajadas).

DOÑA PAULA.—¿De qué se ríe usted?
MARIBEL.—*(Y se contiene, avergonzada).* No, de nada. Ustedes perdonen.
DOÑA MATILDE.—No tenemos nada que perdonar. Tiene usted una risa simpatiquísima.
DOÑA PAULA.—¡Y qué alegre! ¡Es un cascabel!
MARCELINO.—Ya os lo había dicho.
MARIBEL.—*(Siempre guardándole rencor a* MARCELINO*).* ¿Tú quieres callarte?
MARCELINO.—Discúlpame.
DOÑA MATILDE.—Como el pobre no sale apenas de la fábrica, de la que está al frente, y viene tan pocas veces a la capital, es un poco inocente.
MARIBEL.—*(Empieza a darse cuenta).* Ah, claro, ya...
DOÑA PAULA.—Y es que la fábrica la tienen en un pueblecito en donde apenas se puede hablar con nadie. Gentes rústicas, ¿sabe? Aunque, en el fondo, buenas, según dicen...
DOÑA MATILDE.—Ahora, eso sí... Es un pueblecito precioso, rodeado de montañas... Y muy cerca hay un lago... ¡Un gran lago tranquilo!...

(Al hablar del lago, todos quedan un poco tristes. MARIBEL *los observa, y* DOÑA PAULA, *para romper el silencio que se produce, vuelve a ofrecerle la caja con las chocolatinas).*

DOÑA PAULA.—¿Pero por qué no prueba una?
MARIBEL.—*(Se decide).* Bueno. Gracias.
DOÑA PAULA.—¿Le gustan?
MARIBEL.—Sí. Están ricas... *(Y como todos la miran sonrientes y naturales, va recobrando la tranquilidad).* Claro que a mí todo lo que sea chocolate me gusta muchísimo. Y es que no lo puedo remediar. Además, como tengo la ventaja de que no engordo coma lo que coma, pues me pongo verde de comer dulces.
DOÑA PAULA.—Así le sienta de bien la ropa. ¿Quién le ha hecho ese vestido?
MARIBEL.—Remedios. La que me cose siempre a mí. Una costurera que trabaja muy bien. Y, además, económica. Claro que yo le doy las ideas, porque para esto de la ropa soy muy personal. Y no vayan a creer que copio de esos figurines de las revistas. Ni hablar del asunto. Se me ocurren a mí, así de pronto, y voy a la modista y se lo explico. Y entonces ella, que ya me conoce... *(Hablando de la ropa se ha olvidado de la situación y ha recobrado su aplomo y su personalidad. Y ahora se da cuenta y mira un poco avergonzada a todos).* Bueno, ustedes perdonen... Pero yo me tengo que marchar. No me puedo quedar aquí tanto tiempo.
DOÑA PAULA.—¿Pero por qué? Si todavía es muy pronto...
MARCELINO.—No seas impaciente, Maribel.
DOÑA MATILDE.—¿La espera la familia, acaso?
MARIBEL.—¿La familia? No. Yo no tengo familia.
DOÑA PAULA.—¡Pobrecita! ¿Es posible?
MARIBEL.—Bueno, tenerla sí la tengo. Pero es lo mismo que si no la tuviese. Cada uno anda por su lado, y no nos ocupamos los unos de los otros.

DOÑA PAULA.—¿No te digo? Hasta en esto es una muchacha de su tiempo. Cada uno viviendo su vida, como debe ser, sin estarse dando la lata mutuamente. Justo lo que siempre hemos envidiado nosotras.

DOÑA MATILDE.—Y lo que andábamos buscando.

MARIBEL.—*(Ya un poco cargada).* Bueno, ¿pero ustedes qué es lo que buscaban?

MARCELINO.—Cállate, Maribel. Déjalas hablar a ellas...

MARIBEL.—¡Pero es que yo quiero saber a qué viene toda esta historia!

DOÑA MATILDE.—¡Qué carácter tan vivo tiene!

DOÑA PAULA.—¡Y cuando se enfurruña, se pone más salada!...

MARCELINO.—¿Habéis visto cómo frunce las cejas?

DOÑA PAULA.—Claro que sí... Y le sienta divinamente.

DOÑA MATILDE.—Y dígame: ¿vive usted sola, entonces?

MARIBEL.—Sí. ¿Qué pasa con eso?

DOÑA MATILDE.—Nada..., ¿qué va a pasar? Lo encontramos muy lógico.

DOÑA PAULA.—Es exactamente igual que hacen las chicas en Francia y en Alemania, que se independizan enseguida... Y así se van acostumbrando a los avatares de la vida.

DOÑA MATILDE.—Vivirá usted en alguna residencia de señoritas, ¿no?

MARIBEL.—Yo vivo de pensión.

DOÑA MATILDE.—¡Huy! ¡Pobrecita!

MARIBEL.—¿Por qué pobrecita? Pues menuda habitación tengo.

MARCELINO.—Me ha dicho antes que en su cuarto tiene cortinas de cretona.

MARIBEL.—Y la colcha también, haciendo juego.

DOÑA PAULA.—¡Ah! Siendo así, ya es distinto.

DOÑA MATILDE.—¿Y qué estudia? ¿Idiomas?

MARIBEL.—No. De eso, nada.

DOÑA MATILDE.—¿Trabaja usted?
MARIBEL.—Pues le diré... Por las tardes busco trabajo.
DOÑA MATILDE.—¿Y no lo encuentra?

(MARIBEL *ya no sabe qué contestar. Está a punto de perder la paciencia. Y se vuelve a* MARCELINO).

MARIBEL.—Oye, tú, ya está bien. Yo me voy a marchar.
MARCELINO.—Por favor, espera, Maribel. *(Secamente a su madre).* Es que le haces demasiadas preguntas, mamá, y esto la está poniendo nerviosa.
DOÑA PAULA.—Indudablemente, Matilde, no sé a qué viene someterla a este interrogatorio...
DOÑA MATILDE.—Debe usted perdonarme, señorita... Pero quería enterarme de su vida privada antes de ponernos a hablar de sus relaciones con Marcelino.
MARIBEL.—¿Quién es Marcelino?
DOÑA MATILDE.—Mi hijo... ¿Es que ni siquiera le habías dicho cómo te llamas?
MARCELINO.—*(A* MARIBEL). Claro. Si te lo dije ayer.
MARIBEL.—Yo creí que eso de Marcelino era una broma.
DOÑA MATILDE.—Si no le agrada Marcelino, puede llamarle Marcel, como le llamaba su padrino... Y casi resulta más bonito y parece un nombre francés.
MARIBEL.—Yo he tenido un amigo francés. Pero se llamaba Luis.
DOÑA PAULA.—¿No sería Luis XV?
MARIBEL.—*(Se ríe con todas sus ganas).* ¡Mira, esto sí que ha estado bien! ¡Tiene gracia tu tía! ¡Mira que preguntar si era el Luis ese! De verdad, hombre... Que me cae a mí simpática esta señora. *(Y se da cuenta de que su risa es excesiva y desproporcionada, cuando todos la miran extrañados).* Bueno. Ustedes per-

donen... Me voy a marchar ya. *(Y se levanta para irse).* Con permiso.

MARCELINO.—¿Otra vez, Maribel?

MARIBEL.—¿Pero qué pinto yo aquí? ¿Me quieres explicar?

DOÑA MATILDE.—*(Entusiasmada).* ¡Quédese de pie! ¡Quédese de pie! Y tú ponte junto a ella, Marcelino. (MARCELINO *se aproxima a ella y quedan, de pie, uno al lado del otro).* ¿Pero no ves la buena pareja que hacen? Delgados los dos... Altos los dos...

DOÑA PAULA.—Una pareja estupenda, de verdad...

DOÑA MATILDE.—Parece que ya los veo entrar en la iglesia, cogidos del brazo...

MARIBEL.—¿En qué iglesia?

DOÑA MATILDE.—Mire usted, hija mía. Nosotros veríamos con muy buenos ojos que se casara usted con Marcelino.

MARIBEL.—¿Que yo me casara con este?

DOÑA PAULA.—Siéntese, hágame el favor...

MARIBEL.—Con permiso.

(Y vuelve a sentarse, sin comprender nada, pero decidida a comprenderlo).

DOÑA MATILDE.—Mi hijo ha venido a Madrid dispuesto a encontrar una novia para casarse y formar un hogar. Una chica fina, educada y moderna, que le alegre un poco la vida, ya que al lado de un vejestorio como yo, el pobre se aburre bastante. Y se ha enamorado de usted, que reúne todas esas condiciones. Y aunque, según parece, su situación económica no es demasiado boyante, eso no nos preocupa lo más mínimo, ya que, afortunadamente, mi hijo dispone de unos bienes bien saneados.

DOÑA PAULA.—Comprendemos perfectamente que se sienta extrañada al ser nosotras las que tratemos de este asunto, en lugar de ser él quien se haya declarado, como es corriente entre muchachos y muchachas.

DOÑA MATILDE.—Pero él es como un niño, ¿sabe?... Vergonzoso, apocado, sin iniciativa...

MARCELINO.—*(Molesto).* ¡No tanto, mamá! Maribel va a creerse que soy un tonto o un inútil...

DOÑA MATILDE.—Ni lo uno ni lo otro. Pero tu cortedad no podemos negarla, porque es evidente.

DOÑA PAULA.—No olvides que has estado siempre muy mimado y muy consentido y que desde niño estás acostumbrado a que todas las cosas te las solucione tu madre.

DOÑA MATILDE.—Por eso he querido hablar yo con usted, hija mía. Por eso quise que mi hijo la trajera a nuestra casa.

MARIBEL.—Bueno, pero señora...

DOÑA MATILDE.—No me llames señora. Llámame mamá.

DOÑA PAULA.—Y a mí llámame tía. Tía Paula. Y dame un beso.

(Y se acerca a ella y le da un beso).

DOÑA MATILDE.—Y a mí otro, ¿quieres?

(Y también se acerca a ella para besarla. Las dos viejas, después, se abrazan. MARCELINO *va junto a* MARIBEL, *que no sabe qué decir).*

MARCELINO.—¿Estás emocionada, Maribel?

MARIBEL.—*(Tímidamente).* Me gustaría hablar contigo a solas.

MARCELINO.—¿Habéis oído, mamá?

DOÑA MATILDE.—Pues naturalmente.

DOÑA PAULA.—No faltaría más. Estáis en vuestra casa.

DOÑA MATILDE.—Además, entre unos prometidos que van a casarse próximamente...

(Y cuando van hacia la puerta del foro, suena el timbre de la puerta).

DOÑA PAULA.—¡Huy! Han llamado. ¿Quién será?

(MARCELINO *se separa de* MARIBEL, *nervioso y un poco irritado).*

MARCELINO.—¡Eso digo yo! ¿Quién tiene que venir a esta hora? ¿Por qué llaman?

DOÑA PAULA.—Pues no sé. Pero tampoco tiene tanta importancia que hayan llamado a la puerta.

MARCELINO.—Me molesta que nos interrumpan en este preciso momento, cuando estábamos hablando con Maribel.

MARIBEL.—*(Que está un poco sorprendida por el tono de la conversación).* Si quieren ustedes, yo me marcho...

DOÑA MATILDE.—Por favor, hija mía, nada de eso.

MARCELINO.—Es absurdo, tía Paula, que solo tengas una asistenta por las mañanas, en lugar de tener una muchacha todo el día.

DOÑA PAULA.—Ya sabes que me gusta mucho vivir sola.

MARCELINO.—Para tener que abrir la puerta a todo el mundo, ¿no es eso?

DOÑA PAULA.—Bueno... ¿Abro o no?

MARCELINO.—Sí, claro, abre.

(MARIBEL *ha escuchado todo sorprendida y acobardada y con muchos deseos de marcharse.* DOÑA PAULA *va a la puerta del foro y la abre. Entra* LUIS ROLDÁN. *Unos treinta y cinco años. Aire juvenil y simpático. Alegre. Optimista).*

DOÑA PAULA.—¡Ah! ¡Pero si es el doctor! ¡Pase, pase usted!...
DON LUIS.—¡Mi querida doña Paula! Buenas noches, señores... Beso a usted la mano, doña Matilde... ¿Qué tal, don Marcelino?
MARCELINO.—Encantado, doctor.
DOÑA PAULA.—Ya no me acordaba de que tenía usted que venir a ponerme la inyección.
DOÑA MATILDE.—Y nos ha sorprendido tanto que llamasen a estas horas...
DON LUIS.—Realmente, hoy me he retrasado un poquito.
DOÑA PAULA.—Mira, Maribel. Te voy a presentar a nuestro médico de cabecera, el doctor don Luis Roldán. Y aquí la señorita Maribel, casi, casi, la prometida de mi sobrino.
DON LUIS.—¡Ah! Muchísimo gusto. *(A* MARCELINO*)*. No ha podido usted encontrar una novia más seductora, don Marcelino. *(A* MARIBEL, *después de mirarla detenidamente).* ¿Es usted española o extranjera?
MARIBEL.—*(Acobardada por esta mirada).* De aquí.
DON LUIS.—Lo decía porque tiene usted un cierto aire exótico, que la llena de encanto.
DOÑA MATILDE.—¿Verdad que sí, doctor?
DON LUIS.—Les doy mi más cordial enhorabuena. *(A* MARCELINO*)*. Ya le dije que en Madrid encontraría usted una buena novia para casarse. Y no ha podido usted ser más afortunado.
DOÑA PAULA.—*(A* MARIBEL*)*. El doctor Roldán es un hombre muy amable y tiene la gentileza de venir a visitarme para vigilar un poco mis achaques[12].
DON LUIS.—¡Nada de achaques, doña Paula! *(A* MARIBEL*)*. Más que profesionalmente, pudiéramos decir que vengo en visita

[12] *achaques:* indisposición o enfermedad habitual.

de cortesía, pues doña Paula se encuentra en perfecto estado de salud.

DOÑA MATILDE.—Y es que, gracias a Dios, en casa todos hemos sido muy robustos hasta que nos hemos muerto.

DON LUIS.—Siempre tan ocurrente, doña Matilde...

DOÑA PAULA.—Y ahora, cada dos días, viene a ponerme un inyectable, pues parece ser que tengo un poco baja la tensión.

DON LUIS.—Pero como da igual un día que otro, si hoy están ustedes tan bien acompañados, yo no quisiera interrumpirles...

DOÑA PAULA.—Por Dios... Maribel es ya como si fuera de la familia... Y el doctor enseguida termina... No te importa esperar un momento, ¿verdad?

DOÑA MATILDE.—Eso. Y después seguiremos hablando... Hay que ultimar todos los detalles.

DOÑA PAULA.—Voy a ir preparando las cosas en mi alcoba. ¿Me acompañas, Matilde? Y así, de paso, preparamos también el cóctel.

DON LUIS.—¿El cóctel?

DOÑA PAULA.—Queremos ofrecer un aperitivo a nuestra querida Maribel. Aperitivo, naturalmente, al que queda usted invitado...

DON LUIS.—Muchísimas gracias, señoras...

DOÑA MATILDE.—Hasta ahora mismo.

DOÑA PAULA.—Hasta ahora mismo.

(Y las dos señoras hacen mutis por el foro).

DON LUIS.—Por fortuna, ahora puedo hacer visitas más largas, ya que la mayor parte de la clientela se ha ido de veraneo.

MARCELINO.—Y usted pronto se irá también, según nos dijo.

DON LUIS.—En efecto. Dentro de una semana. ¿Y qué tal la fábrica, don Marcelino?

MARCELINO.—Deseando volver lo antes posible. Estos negocios, como usted sabe, no se pueden abandonar durante mucho tiempo.

(Y MARIBEL, *sentada tímidamente en el sofá, mira a uno y a otro, sin saber qué decir ni qué hacer).*

DON LUIS.—¡Ah! Se me olvidaba darle las gracias por las cajas de chocolatinas que tuvo usted la amabilidad de enviarme, y que son realmente exquisitas. A mi esposa le gustaron muchísimo.
MARCELINO.—Por favor, no vale la pena...
DON LUIS.—Supongo, señorita, que habrá usted tenido la satisfacción de probarlas...
MARIBEL.—*(Cada vez más violenta).* Sí. Son buenas.
MARCELINO.—La pobre Maribel se encuentra un poco cohibida, porque hoy, por primera vez, la he traído a casa para presentarle a mamá y a tía Paula.
DON LUIS.—Estará usted encantada con ellas...
MARIBEL.—Sí. Son muy simpáticas, ¿verdad?
DON LUIS.—Y unas buenísimas personas... Y aunque a don Marcelino solo he tenido el placer de saludarle dos o tres veces, también me ha causado excelente impresión.
MARCELINO.—Es usted muy amable.
DON LUIS.—No hago otra cosa que ser sincero.

(Y ahora, por la puerta del foro, aparece DOÑA MATILDE).

DOÑA MATILDE.—Marcelino...
MARCELINO.—¿Qué quieres, mamá?
DOÑA MATILDE.—Si pudieras venir un momentito, te lo agradecería. Quisiera consultarte algo sobre el aperitivo.

MARCELINO.—Perdonen ustedes, pero la tía Paula se ha empeñado en hacer un cóctel, cosa de la que no tiene la menor idea.
DON LUIS.—No faltaba más.
MARCELINO.—Vuelvo enseguida, Maribel. *(Y va hacia la puerta del foro, donde se ha quedado esperando* DOÑA MATILDE). ¿Vamos, mamá?
DOÑA MATILDE.—Al instante estamos aquí...

(Y hacen mutis los dos. DON LUIS *y* MARIBEL *se quedan solos. Se miran.* DON LUIS *va hacia ella sonriente, y ella se levanta cohibida, como temiendo que él pueda conocerla de la barra del bar. Pero* DON LUIS *se limita a decir una frase trivial).*

DON LUIS.—Parece que este verano se presenta poco caluroso...

(MARIBEL *respira tranquila, no contesta y va hacia la puerta del foro para cerciorarse de que no hay nadie. Después se acerca a* DON LUIS).

MARIBEL.—Oiga.
DON LUIS.—*(Sorprendido de todas estas cosas).* Dígame.
MARIBEL.—Usted es el médico, ¿verdad?
DON LUIS.—Sí. Claro... ¿Por qué?
MARIBEL.—Y esta gente..., ¿está bien de la cabeza?
DON LUIS.—¿Cómo que si está bien de la cabeza?
MARIBEL.—Vamos, quiero decir que si...

(Y se toca la sien con el índice).

DON LUIS.—Sí, sí. Lo comprendo perfectamente... Pero es que no me explico por qué me hace usted esa pregunta, señorita.

MARIBEL.—*(Ya un poco nerviosa).* Pero usted no es de pueblo, ¿verdad? Vamos, quiero decir que usted tiene aspecto de salir a la calle, y de andar por el mundo, y de saber lo que es la vida...

DON LUIS.—Sí claro. ¿Y qué?

MARIBEL.—Y si anda usted por el mundo, ¿cómo se explica entonces que me hayan dicho que si me quiero casar con el hijo?

DON LUIS.—¿Y no le parece a usted natural? Él es joven y rico, y tiene deseos de casarse. Usted también es joven y bonita. ¿Qué puede extrañarle?

MARIBEL.—*(Ganada por la tranquilidad y la sinceridad del doctor).* Entonces, ¿está usted seguro de que..., que de locos, nada?

DON LUIS.—¿Pero cómo puede usted pensar una cosa así? Conozco desde hace muchos años a doña Paula, y ahora, últimamente, he tenido oportunidad de tratar a su hermana Matilde y a su hijo. Y puedo asegurarle que son unas bellísimas personas. Bien es verdad que doña Paula tiene algunas inocentes manías, como eso de empeñarse en vivir sola, sin tener un servicio fijo, y de no salir a la calle y de alquilar visitas...

MARIBEL.—¡Ah! ¿Alquila visitas?

DON LUIS.—Sí, para distraerse. Pero comprenda usted que, aunque no los represente, ni muchísimo menos, tiene ya cerca de ochenta años, y que estas pequeñas —diríamos chocheces, para ser más claros— son propias de su edad. Pero de loca, nada. Y de tonta, nada. En absoluto. Lo que pasa es que ahora, a las personas inocentes y buenas, se les llama locas o maniáticas, porque la verdadera bondad, por ser poco corriente, no la comprende nadie.

MARIBEL.—*(Mirando al doctor con aire sospechoso).* ¡Ah! Claro... Y dígame. ¿Y usted tampoco está así...?

DON LUIS.—¿Así? ¿Cómo?

MARIBEL.—Así, como un poquito majareta.

DON LUIS.—*(Un poco seco).* ¿Pero qué le pasa, señorita? ¿Por qué esa manía de que en esta casa todos estamos locos?
MARIBEL.—*(Se sienta fatigada, sin comprender nada).* No, no. Perdóneme. Y, por favor, no vaya a decirles que yo le he hecho todas estas preguntas... ¿Me lo promete?
DON LUIS.—Puede usted estar tranquila, señorita. Considere esta conversación como una consulta de tipo profesional.

(Y DON LUIS *la mira extrañado. Y ella saca un espejo del bolso y se mira la cara, por un lado y por otro. Y por el foro entra* MARCELINO *con una bandeja llena de emparedados).*

MARCELINO.—Aquí traigo estos emparedados que ha hecho mamá. *(Y deja la bandeja sobre la mesa).* ¡Ah, Maribel! Están encantadas contigo, ¿sabes? Todos los elogios que han hecho delante de ti no son nada comparados con los que ahora, a solas, me acaban de hacer. *(Y se vuelve al médico).* Perdón, doctor... Mi tía me ha dicho que ya tiene todo dispuesto para la inyección y que puede usted pasar a su dormitorio.
DON LUIS.—Voy enseguida. Hasta ahora mismito.
MARCELINO.—¿Le acompaño?
DON LUIS.—Por Dios, conozco el camino perfectamente.

(Y hace mutis por la puerta del foro. MARCELINO *va hacia la llave de la luz).*

MARCELINO.—Voy a encender la luz. Ya es casi de noche.
MARIBEL.—*(Angustiada).* ¡No! ¡No enciendas la luz!
MARCELINO.—¿Pero qué ocurre con la luz?
MARIBEL.—*(Triste. Apocada).* Con la luz se me notará.

MARCELINO.—¿Qué es lo que se va a notar? No digas tonterías. *(Y enciende.* MARIBEL *baja la cabeza avergonzada, como si se sintiera desnuda.* MARCELINO *va hacia ella).* Con la luz estás más guapa todavía.

MARIBEL.—*(Suplicante).* Yo quiero hablarte en serio.

MARCELINO.—Ya está todo hablado, Maribel.

MARIBEL.—¡Pero esto es absurdo! ¡Yo no me puedo casar contigo!

MARCELINO.—¿Por qué?

MARIBEL.—*(Casi a punto de echarse a llorar).* ¿Pero no lo comprendes? ¿Es que vas a obligarme a... a hablar claro?

MARCELINO.—¡Ah, ya! ¿Tienes acaso otro novio?

MARIBEL.—¡Tengo muchos novios! ¡Muchos! ¿Te enteras?

MARCELINO.—Eso es natural, viviendo en una ciudad como esta, y con la independencia con que tú vives... Pero a esos que tú llamas novios, y que serán simplemente chicos para salir y divertirte, los dejarás ahora, ¿sabes? Los dejarás para casarte enseguida conmigo. ¿O es que?... ¿O es que no te gusto?

MARIBEL.—Eso me es igual. No se trata de que me gustes o no me gustes...

MARCELINO.—*(Cambia de tono. Se aleja de ella).* Nunca he tenido suerte con las mujeres, y quizás a eso sea debida mi timidez, ¿comprendes? Desde muy joven empecé a sufrir pequeños fracasos amorosos, que a mí me parecían grandes, enormes, y que me torturaban y me dejaban triste años y años... Por eso, cuando entré por primera vez en aquel bar, y te vi en la barra, y noté que me mirabas y me sonreías...

MARIBEL.—*(Casi gritando).* ¡Miro a todos! ¡Sonrío a todos!

MARCELINO.—*(Se acerca de nuevo, cariñoso).* Vamos, Maribel... No vayas a presumir ahora de coqueta o de mujer mala... Yo estoy seguro de que a mí me sonreíste de una manera especial. Me miraste como nunca me había mirado ninguna otra

mujer... Y yo lo noté y sentí algo..., bueno..., algo que es muy difícil de explicar. Por eso te quiero. Por eso deseo casarme contigo. ¿Quieres darme un beso, Maribel?
MARIBEL.—*(Se separa de él, avergonzada).* ¡No! ¡Déjame!

(Y por el foro, momentos antes, ha aparecido DOÑA MATILDE *con una coctelera en la mano).*

DOÑA MATILDE.—¡Pero Marcelino! ¿Cómo te atreves a querer besar a tu prometida en tu propia casa? Eso está muy feo, hijo. Y me alegro mucho de que Maribel se haya negado, lo que demuestra que en esta época, a pesar de tanto modernismo, las mujeres son tan decentes como en nuestros tiempos.
MARIBEL.—*(Decidida).* Yo tengo que irme, doña Matilde.
DOÑA MATILDE.—Perdónale, Maribel. Para estas cosas es un chiquillo. Vamos, no debes enfadarte.
MARCELINO.—No he querido ofenderte. Debes disculparme.
DOÑA MATILDE.—Y, sobre todo, no puedes despreciar una copita de este cóctel que estoy batiendo y que se llama «gin-fizz».

(Y agita la coctelera con ademán de «barman»).

MARCELINO.—¿Quieres antes ir probando un emparedado?
MARIBEL.—No, muchas gracias. No me apetece nada.
DOÑA MATILDE.—Ya te apetecerá... *(Y le da la coctelera a* MARCELINO, *mientras ella hace lo que va diciendo).* Sigue batiendo esto, Marcelino, mientras yo preparo el disco de Elvis Presley para hacérselo oír al doctor. *(A* MARIBEL). Ya verás como también te gusta a ti. Es un disco precioso... ¡Ah! ¿Y qué te ha parecido el doctor? Simpatiquísimo, ¿verdad? Y además un médico estupendo. Una verdadera notabilidad.
MARCELINO.—¿Por qué no tomas un sandwich, Maribel?

MARIBEL.—*(Suplicante. En voz baja).* Dame una copa antes. ¡Pronto! ¡Quiero beber algo!
DOÑA MATILDE.—Será más correcto que esperemos a que vengan Paula y el doctor, ¿no os parece?
MARCELINO.—Desde luego, mamá.
DOÑA MATILDE.—*(Que está cerca de la puerta del foro).* ¡Ah, ya están aquí!

(Y por la puerta del foro entra DOÑA PAULA, *seguida del* DOCTOR).

DOÑA PAULA.—¡Ah! ¿Habéis encendido? Qué bien. *(Y* MARIBEL, *procurando que nadie se dé cuenta, se toma de un trago el contenido de una copa).* El doctor me ha puesto la inyección y me ha tomado el pulso y esas cosas, y dice que estoy maravillosamente.
MARCELINO.—¿De verdad, doctor, encuentra bien a la tía Paula?
DON LUIS.—Doña Paula, de tener algo, solo tiene aprensión[13].
DOÑA PAULA.—Bien, en ese caso, ya ha llegado la hora de que tomemos una copita. ¿No es verdad, Maribel?
MARIBEL.—*(Dócil).* Sí. Lo que ustedes quieran.
MARCELINO.—Os estábamos esperando.
DOÑA PAULA.—¿Has preparado el disco, Matilde?
DOÑA MATILDE.—Sí. Ya está todo dispuesto.
DON LUIS.—¿Y por qué en lugar de poner ese disco, no toca usted el piano, doña Paula? Usted es una consumada profesora.
DOÑA PAULA.—¡Por Dios! ¡Qué horror! ¡Pero si solo sé tocar cosas de mi época! Y a Maribel, a lo mejor, esas cosas no le gustan nada.

[13] *aprensión:* escrúpulo ante el contacto con persona o cosa de la que se derive un contagio.

DON LUIS.—Hay cosas antiguas mucho más bonitas que las modernas. ¿No opina usted igual, señorita?
MARIBEL.—Sí, sí. Lo que ustedes prefieran.
DOÑA PAULA.—Está bien. Si Maribel quiere que toque el piano, tocaré el piano. Yo no soy de las que se hacen rogar... Pero, antes, bebamos el cóctel...

(MARCELINO *ha ido sirviendo los vasos de «gin-fizz» y la familia los va repartiendo.* MARIBEL, *el suyo, se lo bebe de un trago. Y los demás brindan con acento tierno y emocionado).*

DOÑA MATILDE.—Por la felicidad de nuestros hijos.
DOÑA PAULA.—Porque sean todo lo dichosos que merecen.
DOÑA MATILDE.—Por su bienestar.
DON LUIS.—Por su salud...
MARIBEL.—*(En voz baja a* MARCELINO). Dame otro.
MARCELINO.—¿Te gusta?
MARIBEL.—Sí, mucho. Dame otro.

(Y mientras MARCELINO *se lo da, y* MARIBEL *se lo bebe de un trago,* DOÑA PAULA *habla; muy en plan de visita todos ellos).*

DOÑA PAULA.—Por cierto, doctor, que no le he preguntado por sus niños. ¿Siguen tan guapos?
DON LUIS.—Ya los he mandado a la sierra, porque el calor de Madrid no les conviene nada.
DOÑA PAULA.—¡Si vieras los niños que tiene el doctor, Maribel! ¡Una preciosidad! Un niño y una niña, los dos rubios, rubios, que son una verdadera monería.
DOÑA MATILDE.—¿Te gustan a ti los niños, Maribel?

MARIBEL.—No sé…

DOÑA PAULA.—¿No sabes?

MARIBEL.—*(Las dos copas la han animado un poco. Y quiere hablar. Hablar como hablan los demás).* Bueno, una amiga mía tiene uno, pero nunca lo veo. Pero a mi amiga sí le gustan, ¿saben? Y los domingos no sale a lo suyo, y se lo dedica a él y lo saca a paseo. Y yo un día le compré una pelota de colores, de esas grandes, y su madre se la llevó, y dice que se puso muy contento… Pero yo no estoy segura, claro. Son cosas que se dicen por cumplir, ¿verdad?

DOÑA PAULA.—Sí, a veces.

MARIBEL.—*(Ya lanzada, quiere seguir).* Y la portera de mi casa, bueno, de la casa en donde está la pensión en que estoy viviendo, también tiene un sobrinito… Pero ese es más travieso…, ¡jolín!

DOÑA MATILDE.—*(La interrumpe, ofreciéndole la bandeja).* ¿Un emparedado?

MARIBEL.—No. *(A* MARCELINO). Mejor otra copa… *(Y vuelve a beber.* DOÑA PAULA *ha ido a sentarse al piano. Los demás, mientras, observan con curiosidad a* MARIBEL. *Hay un silencio que* MARIBEL *rompe).* Bueno, tía Paula… ¿Y qué hace usted que no toca el piano?

DOÑA PAULA.—*(Solemne).* Sí, hija mía, sí. Para ustedes, y con todo mi cariño, «Para Elisa», de Beethoven.

(Y empieza a tocar. Y todos escuchan, mientras lentamente va cayendo el

TELÓN).

ACTO SEGUNDO

El mismo decorado. De ocho a nueve de la noche. Las luces están encendidas.

(Al levantarse el telón, vemos a PILI *y a* NINÍ, *que están sentadas junto a la mesa redonda de la derecha. Y a* RUFI, *que se sienta en el sofá de la izquierda. Las tres son compañeras de trabajo de* MARIBEL, *pero quizás un poco más baratas que esta última. Y las tres son —entre sí— bastante diferentes.* NINÍ, *la más jovencita, es también la más ingenua. A veces parece un poco tonta, pero es que la pobre va de buena fe.* RUFI, *la de más años, es la más tranquila y serena. Y al presumir de experiencia, presume igualmente de sabiduría. También presume de piernas bonitas y por eso lleva la falda más corta y más estrecha que sus amigas. Y* PILI *es la descarada y contestona. La del genio. La que se las da de mala, sin llegar a serlo. Las tres están calladas, y desde el sitio que ocupan, miran con curiosidad los muebles y objetos que hay en la habitación. En el mirador hay cierto barullo producido por los canarios, que cantan todos a la vez, y por la cotorra, que dice algo que no se entiende. Hay una pausa larga, con este ambiente, antes que* PILI *empiece a hablar).*

PILI.—¡Pues vaya follón que se traen los animalitos! ¡Ni que estuviéramos viendo una película de Tarzán!

NINÍ.—¡Y a mí que ese ruidito que hacen me gusta mucho!...

RUFI.—No es ruido, Niní... Son las aves que cantan.

PILI.—¡Pues vaya un cante! ¡Qué barbaridad! ¡Para mis nervios es ese soniquete[14]!

RUFI.—Como no salís de la Gran Vía, no sabéis lo que es lo bucólico.

PILI.—Déjate ahora de bucolismos[15] y bájate un poco la falda, que estarás mejor.

RUFI.—¡Hija! ¡Jesús! ¡Qué pesada estás con la faldita!

(Y se la estira lo que puede).

NINÍ.—¡Es que hay que ver cómo te sientas, Rufi!

RUFI.—¡Pues no sé como me voy a sentar, caramba!

PILI.—¡Pues como las personas decentes, nena!

RUFI.—Entonces aprenderé de ti, ¿verdad, guapa?

PILI.—Mejor te iría, digo yo...

RUFI.—¡Ay, qué gracia! ¿Desde cuándo me va a mí mal?

PILI.—Desde que te dieron el primer biberón.

RUFI.—Mira, Pili. A mí no me hables con retintín[16], porque me quito un zapato y te lo meto en la cabeza.

NINÍ.—¿Queréis callar? ¡Pues sí que empezáis bien para venir a una visita de cumplido!

PILI.—Esta, que se está poniendo muy impertinente.

[14] *soniquete:* ruido poco intenso, continuado y desapacible.

[15] *bucolismos*: aplicado a la poesía, temas relativos a la vida campestre. Aquí en sentido irónico.

[16] *retintín:* tonillo o modo de hablar, por lo común para zaherir.

RUFI.—Ni impertinente ni narices, Pili. Pero si vienes invitada a una casa, como hemos venido nosotras, hay que comportarse como una señora; vamos, digo yo.

PILI.—Quien debe comportarse como una señora es Maribel. Porque si nos ha dejado un recado para que vengamos, lo menos que debe hacer es salir pronto a recibirnos, y no tenernos media hora en esta habitación con el ruido ese de la selva.

(Se refiere a los pájaros, que siguen cantando).

RUFI.—Ya nos ha dicho la que nos ha abierto la puerta que Maribel estaba en la alcoba dándole una friega[17] a la que está enferma; pero que enseguida vendría...

PILI.—Pues ya se podía aligerar, porque una no está para perder el tiempo. Y a mí, a las ocho, me espera un señor que ha venido de El Escorial.

NINÍ.—Bueno, pero que yo me entere... La que está pachucha, ¿quién es? ¿La madre o la tía?

PILI.—¡La madre del conde!

RUFI.—¡Pero si no es conde!

PILI.—¡Y qué más da, caramba!... ¿No estamos de visita? Pues a ponernos finas...

NINÍ.—Entonces, la vieja esa que nos ha abierto, ¿quién es? ¿La tía o la asistenta?

RUFI.—¡Pero hija! ¡Es que no te enteras de nada! Pues lo ha dicho bien claro. «Aquí, servidora, la tía de Marcelino. Doña no sé qué de no sé cuántos»... Yo lo he entendido perfectamente...

NINÍ.—Pues a mí me parece simpática, ¿verdad?

PILI.—A ti te parecen simpáticos hasta los gatos.

[17] *friega:* remedio curativo que se hace restregando alguna parte del cuerpo con un paño o con las manos.

NINÍ.—Y así soy más feliz... ¿Hago daño con eso?

RUFI.—¿Y aquí se podrá fumar o estará prohibido?

PILI.—Si estuviera prohibido lo pondría en un cartel.

RUFI.—Pues entonces, dame un pitillo... *(Y* PILI *le da un cigarrillo).* Lo que yo no me explico es por qué se le ocurre llamarme a mí para que le ponga una inyección a la que está mala. Porque si tienen dinero, como Maribel dijo, lo natural es que llamen a un practicante...

PILI.—Eso digo yo.

NINÍ.—Bueno, pero que yo me entere... ¿El recado a quién se lo dejó?

RUFI.—A la chica de la pensión. A la Justina. Y también me encargaba que os trajera a vosotras. A Pili y a Niní.

PILI.—A mí todo esto me da muy mala espina, la verdad... Yo creo que aquí hay tomate.

RUFI.—Tampoco hay que ser tan pesimista... La chica es cariñosa y querrá vernos...

NINÍ.—Pues claro está que sí... Yo no la veo hace la mar de tiempo. Lo menos siete días.

PILI.—A mí me pasa igual. Desde que nos contó lo del novio este...

RUFI.—Yo la veo más, pero de refilón[18]... Como se viene aquí a eso de las tres, cuando nosotras estamos durmiendo todavía, y vuelve a casa cuando ya estamos en la calle...

NINÍ.—¡Pues en la pensión están buenas con ella!

PILI.—Me lo vas a decir a mí...

RUFI.—Como que la quieren echar a la calle.

NINÍ.—*(Que está cerca de la puerta del foro).* Callar, que viene alguien.

---

[18] *refilón:* mirar de forma oblicua, de soslayo, al sesgo.

(Por la puerta del foro entra MARIBEL, *haciendo una labor de ganchillo. Lleva un vestido diferente al del acto anterior, que quiere ser más correcto, pero que no lo llega a ser del todo. Se muestra desenvuelta y anda por la casa como si fuera suya. Y se expresa y habla en un tono muy diferente a como hablaba cuando por primera vez la conocimos).*

MARIBEL.—*(Va besando a cada una de sus amigas).* Hola, Rufi. Hola, Pili. Muchas gracias, Rufi, por haber venido.
RUFI.—De nada, chica. No las merece.
MARIBEL.—Claro que sí… Has sido tan amable… Hola, Niní.
NINÍ.—Hola, Maribel.
MARIBEL.—Sentaros, por favor. *(Y todas se sientan).* Debéis perdonarme que os haya hecho esperar este poquito, pero es que estaba dándole una friega de alcohol alcanforado[19] a mi futura madre y, como siempre, se ha puesto a hablarme de su pequeña enfermedad y de sus múltiples dolencias, y no me dejaba moverme de su dormitorio… ¡Es tan atenta y tan deliciosamente cariñosa!… Y como Marcelino ha tenido que ir al mecánico para arreglar el coche, cuyo «cicler» estaba obstruido, se encontraba la pobre un poco decaída y solitaria… También debes disculparme, Rufi, por haberme tomado la libertad de llamarte, pero como aquí no conocemos a ningún practicante y el médico de cabecera está de veraneo, he pensado que no te importaría nada hacerme este favor… ¡Y qué alegría que hayas traído a Niní, y a Pili! ¡Hacía tanto tiempo que no tenía el gusto de verlas! ¡Estáis guapísimas!… Realmente seductoras… *(Y de repente se levanta).* ¡Ah! ¡Perdón! ¡Qué olvido imperdonable! Disculparme un momento… Os voy a traer una caja de

[19] *alcanforado:* mezcla de alcohol con alcanfor. En medicina se usa como estimulante.

aquellas chocolatinas de las que os hablé para que comprobéis que, realmente, son exquisitas... Es solo un instante.

(Y hace mutis por el foro. Sus tres amigas, como desde el primer momento que MARIBEL *se puso a hablar, siguen mirándose asombradas. Y ahora exclaman atónitas).*

RUFI.—¡Atiza!
PILI.—¡Pero bueno!
NINÍ.—¿Y por qué habla así ahora?
RUFI.—Eso digo yo... ¡Pero qué estrambótica!
PILI.—Pero si parece un poeta.
NINÍ.—*(Mirando extrañada la labor de ganchillo que* MARIBEL *ha dejado sobre la mesa).* ¿Y por qué le estará haciendo agujeros a este trapito?
RUFI.—No es un trapito, nena. Es un crochet...
NINÍ.—Sea lo que sea, se pasa de finolis.
PILI.—Déjate de finolis. Lo que ocurre es que aquí hay algo raro. Que te lo digo yo. Que esto termina mal...
RUFI.—Bueno, raro tampoco es... Lo que sucede es que Maribel es lista, y el trato de esta familia la ha ido afinando.
PILI.—¡No digas tonterías! En quince o veinte días que los lleva tratando no se afina ni el cutis... Yo lo que creo es que está hipnotizada.
NINÍ.—¿Ah, sí?
PILI.—O a lo mejor, que le han dado una droga.
NINÍ.—Es verdad... Pero si parece una sonámbula.
RUFI.—¿Queréis no empezar con vuestras fantasías?
PILI.—*(Que escucha algo).* Callar, que viene aquí otra vez.

(Y vuelve a entrar MARIBEL *con una caja de chocolatinas).*

MARIBEL.—Aquí traigo la caja... Ya veréis qué ricas... Prueba una, Rufi. Y tú, Pili. Toma, Niní, criatura...

RUFI.—Gracias.

PILI.—Gracias.

NINÍ.—Gracias.

MARIBEL.—¿Veis la marca? «Terrón e Hijo». El hijo es Marcelino. Mi amor... El que va a ser mi esposo.

PILI.—¡Qué bien!

NINÍ.—*(Intentando ser fina).* Muy sabrosas.

PILI.—*(Igual).* Y qué elaboración, ¿verdad?

RUFI.—*(Igual).* Sí. Se ve que disponen de muy buenas materias primas.

MARIBEL.—Excelentes. De momento, no podemos quejarnos.

RUFI.—Bueno... ¿Y a tu futura madre, qué es lo que le acontece?

NINÍ.—¿La reuma, tal vez?

MARIBEL.—No. Nada de cuidado... Un catarrillo sin importancia... Sólo lleva tres días en cama. ¡Ah! Y no sabes cómo se ha puesto de contenta cuando le he dicho que por fin has venido para ponerle la inyección. La tía está preparándolo todo, y ahora vendrá a avisarte para que pases a la alcoba. ¡Los deseos que tenía de conocerte! ¡Como les he hablado tanto de ti, y de tu niño!...

RUFI.—¿Pero también le has hablado del chico, oye?

MARIBEL.—Sí, claro... ¿Por qué no? ¿Es que tener niños es pecado?

RUFI.—Depende de cómo se tengan.

MARIBEL.—Qué tontería... Los niños se tienen siempre de la misma forma... Y, sobre todo, que en esta casa somos todos muy modernos y no damos importancia a estas pequeñeces... Además, como es lógico, les he dicho que estás casada con el padre, que es ingeniero de Minas.

RUFI.—¿Tanto?

MARIBEL.—¿Y es que no es verdad? ¿Es que ya no te acuerdas, mujer? ¡Un hombre tan simpático y con una carrera tan brillante!

(Las tres amigas no salen de su asombro. Y Rufi *decide que se explique).*

Rufi.—¡Bueno, oye, Maribel!
Maribel.—*(Cortándola fríamente).* ¿Decías algo?
Rufi.—*(Acobardada).* No. Nada.
Maribel.—*(Vuelve a cambiar de tono).* ¡Ah! También les he hablado de vosotras, que sois compañeras de pensión y que estáis estudiando en la Universidad... *(A* Niní). Y que tú, en este curso, has sacado sobresaliente en latín.
Niní.—¿En latín?
Maribel.—¿Pero no te acuerdas cuando llegaste a casa con tu diploma?... ¡Qué alegría nos diste a todas!... ¡Fue un día inolvidable!
Pili.—*(Lo mismo que antes hizo* Rufi). ¡Bueno, oye, Maribel!...
Maribel.—¿Decías algo?
Pili.—No, no, nada.
Maribel.—¿Y qué? ¿Qué os parece la casa? Muy hermosa, ¿verdad? *(Se ha levantado para mostrar todo).* ¿Habéis visto la cotorra? Se llama *Susana.* Y los canarios son preciosos... ¡Siempre con sus trinos! Y fijaros la vista que tiene el mirador. Se ve toda la calle de Hortaleza... ¡Tan linda! ¡Y en esta butaca se está más bien!... Yo me paso aquí muchas tardes haciendo labor de ganchillo... ¡Ah! Y con esta caracola se escucha todo el ruido del mar... Y este es el piano. Doña Paula lo toca muy bien... ¡Si vierais el cariño que le tengo yo a doña Paula!
Pili.—Claro, claro. Es natural... Todo es muy natural.
Maribel.—No sé por qué hablas con ese tono, Pili.
Pili.—No hablo con ningún tono. He dicho que es natural. ¿O es que no se puede decir eso delante de la cotorra?
Niní.—¡Cállate, Pili!
Maribel.—¿Por qué va a callarse? Puede hablar cuanto quiera. Porque estoy segura de que si yo les he tomado cariño, voso-

tras se lo vais a tomar también. ¡Y vendréis a pasar aquí muchas tardes!

PILI.—Igual que tú, ¿verdad?

MARIBEL.—Sí. ¿Por qué no?

RUFI.—*(Ya cansada).* Bueno, Maribel, ya está bien. ¿Qué es lo que te pasa? ¿Por qué hablas así?

MARIBEL.—No sé. ¿Cómo hablo?

PILI.—No te hagas la tonta. ¿Es que nos está escuchando alguien?

MARIBEL.—No. ¿Por qué? Están las dos hermanas en el dormitorio... Y no hay más gente en casa.

RUFI.—Por si acaso, mira por ahí, niña...

(Y NINÍ *se asoma a la puerta del foro).*

NINÍ.—No se ve a nadie. Sólo hay un pasillo la mar de largo.

RUFI.—Entonces vamos a hablar claro... ¿Por qué dices tantas cosas raras? ¿Te has vuelto loca, o qué te sucede?

MARIBEL.—No me sucede nada.

PILI.—No digas que no... Si pareces otra.

NINÍ.—Como si te hubieran cambiado.

MARIBEL.—*(Se sienta abatida y preocupada).* ¡Cambiarme! Sí. Eso sí es posible... Yo no sé lo que me ha ocurrido, pero me encuentro tan distinta... Y no lo hago por presumir, de verdad, os lo juro. Ni por darme importancia... Yo, en el fondo, quisiera ser como era, como sois vosotras, pero ya no puedo... Aquello terminó.

NINÍ.—¡Pues vaya un plan!

PILI.—¿Y estás segura de que no te han echado unas gotitas en el vaso del agua?

MARIBEL.—¡Cómo puedes pensar una cosa así!

RUFI.—Y, sin embargo, tienes que volver a la realidad, ¿te enteras? ¿Sabes lo que debes de pensión?

MARIBEL.—*(Avergonzada).* Sí. Mucho.
RUFI.—Desde que te pasas aquí casi todo el día, no haces nada. No ganas dinero.
MARIBEL.—¡Pero me voy a casar! Debéis comprenderlo.
PILI.—Y mientras que te casas, ¿qué? ¿Vas a vivir del aire?
NINÍ.—La patrona me ha dicho que te va a poner en la calle.
PILI.—Y ya sabes cómo las gasta.
RUFI.—¿Por qué no le pides cuartos a tu novio?
MARIBEL.—No. No puedo hacer eso. Estaría muy feo.
PILI.—Pero caray, ¿es que él no se da cuenta de nada?
MARIBEL.—De nada. Nunca habla de estas cosas. Supone, por lo visto, que mi familia me envía algún dinero.
RUFI.—Pero eso, por lo menos, lo debías aclarar.
MARIBEL.—¿Aclarar? (MARIBEL *las mira y antes de contestar va también a observar por la puerta del foro, por si alguien la escucha. Después se sienta junto a sus amigas. Y se muestra sincera y preocupada).* ¿Sabéis que he intentado aclarar todo desde el primer momento; desde el primer día que puse los pies en esta casa? ¿Que he tratado por todos los medios que ellos lo comprendiesen? Pero no comprenden nada. Nadie comprende nada aquí. Me han tomado cariño, me respetan, me miman... Me invitan a almorzar aquí, con ellos. Voy al cine con Marcelino, que cada día está más cortés y más tímido, y que me convida a bombón helado en los descansos, y me besa la mano al despedirse. Y lo malo es que me encuentro aquí a gusto; que también, por mi parte, le he tomado cariño a él y a las viejas. Que he descubierto de pronto que esta vida es la que me gusta, y no la otra. Y que, de repente, sin darme cuenta, me salen palabras que no había dicho nunca, y me expreso de otro modo más fino, y hasta olvido totalmente lo que he sido hasta ahora.
PILI.—¡Que ya es tener poca memoria!

MARIBEL.—No digas impertinencias, porque a vosotras os pasaría igual. En mi mismo caso, ¿qué ibais a hacer? ¿Pregonarlo a los cuatro vientos? Por otra parte, ¿es que llevamos un letrero en la espalda diciendo lo que somos? ¿Y si fuera verdad, como piensan ellos, que en lugar de ser unas mujeres malas, solo somos unas chicas modernas? ¿Unas jóvenes de nuestro tiempo?

RUFI.—En eso llevas un poco de razón.

NINÍ.—Claro que sí... Unas cabecitas locas, como dice mi mami.

RUFI.—Y, sobre todo, ¿no querían casar al hijo con una chica moderna? Pues que tomen modernas...

MARIBEL.—Y os quiero ser franca[20]. Si os he traído aquí esta tarde, aparte de lo de la inyección, es para hacer una última prueba.

PILI.—¿Una prueba de qué?

MARIBEL.—Vamos a suponer, por lo que sea, que a mí no se me nota lo que soy. Bueno, lo que he sido. Pero que no se os note a vosotras, ya es difícil; porque, hijas, hay que ver cómo vais...

PILI.—Oye, guapa, sin ofender.

MARIBEL.—No es ninguna ofensa, porque la faldita que llevas, se las trae... Y, sin embargo, ya habéis visto cómo os ha recibido doña Paula cuando habéis entrado... Ahora, en el cuarto, me ha dicho que parecéis unas muchachas encantadoras y muy cultas.

NINÍ.—¿Muy cultas?

MARIBEL.—Sí. Muy cultas. Y esto quiere decir que no se dan cuenta de nada. Que son buenas, que son inocentes, que no tienen maldad... ¿Por qué les vamos a causar una desilusión? ¿Y por qué vamos a prescindir nosotras de esa poca ilusión que siempre nos queda?

[20] *franca:* libre, sin ningún impedimento.

RUFI.—¿Y tú estás segura que de locas, nada?

MARIBEL.—Hablé con el médico de cabecera. Y dijo que ni hablar... Y él también me trató como a una señorita.

PILI.—¡Pues vaya un ojo clínico!

RUFI.—¡Calla, Pili!

MARIBEL.—Y yo estoy empezando a creer que, en efecto, lo somos. Es decir, casi he llegado a convencerme. Es cuestión de pensarlo, de decidirlo... Y ya no tengo ningún complejo, porque ellos me han quitado todos los que tenía. ¡Y es como empezar a vivir otra vez! ¡Si vierais lo maravilloso que es sentirse nueva, diferente! ¡Con una familia! ¡Con un novio que te besa una mano con respeto!

NINÍ.—Y debiendo un mes de pensión.

PILI.—Quince días. Porque hoy le he pagado la mitad, a cuenta.

RUFI.—¿Es verdad?

PILI.—No vamos a dejar que la echen a la calle.

MARIBEL.—*(Conmovida).* Gracias, Pili. ¿Por qué presumes de mala si eres más buena que ninguna?

PILI.—Para defenderme.

MARIBEL.—Te devolveré muy pronto ese dinero.

PILI.—Eso no debe preocuparte. En cambio, todo esto...

MARIBEL.—¿Qué?

PILI.—No sé. Esta situación tuya. ¿Para qué vamos a andar con tapujos[21]...? A mí todo esto me da mala espina... Yo no creo en la inocencia de la gente.

MARIBEL.—La portera me dijo un día que son de muy buena familia, y ella los conoce de toda la vida... Estos cuadros son de sus antepasados... Mirar. Este señor era el abuelo materno.

PILI.—Tiene una cara rara...

---

[21] *tapujos:* disimulo con el que se disfraza u oculta la verdad.

RUFI.—¿Qué cara quieres que tenga, si se ha muerto?
PILI.—¿Y esa puerta, adónde da?

(Por la de la izquierda).

MARIBEL.—Creo que hay un despacho que era del marido de doña Paula. Pero nunca lo utilizan y siempre tienen la puerta cerrada.
PILI.—Es raro que la tengan cerrada.
NINÍ.—Hija, a ti todo te parece raro...
PILI.—Si me vas a decir que el caso de esta se está dando todos los días entre las mejores familias...
NINÍ.—Callar, que viene alguien.
MARIBEL.—*(Se asoma por la puerta del foro).* Es doña Paula.

(Y entra por el foro DOÑA PAULA. *El mismo vestido del acto anterior. Y siempre sonriente).*

DOÑA PAULA.—Ustedes me perdonarán que las tenga tan abandonadas, pero me estaba ocupando de la merienda de mi hermana Matilde. Como por las tardes no viene la asistenta, pues me encuentro yo sola para todo, aunque si he de serles franca, prefiero estar sola que mal acompañada... Y, en el fondo, el trajín de la casa me entretiene muchísimo... Pero siéntense, siéntense.
MARIBEL.—Claro, sentaros.
RUFI.—Muchas gracias.
NINÍ.—Con permiso.

(Y se sientan todas).

DOÑA PAULA.—Por otro lado, estaban ustedes con Maribel, y Maribel es ya como si fuera de la familia... Qué buena es Maribel, ¿verdad?

RUFI.—Muy buena.
NINÍ.—Mucho.
PILI.—¡Muchísimo!
MARIBEL.—¡Qué van a decir ellas! ¡Son tan amigas mías!
RUFI.—Sólo decimos la verdad.
DOÑA PAULA.—Si vieran ustedes el cariño que le tenemos en esta casa... ¡Y no digamos nada Marcelino! ¡Está tan enamorado de ella! *(A* MARIBEL). Por cierto, me choca mucho que no esté ya en casa, ¿verdad?
MARIBEL.—¿A qué hora se marchó?
DOÑA PAULA.—Hace más de dos horas.
MARIBEL.—Entonces no tardará en volver, no debe preocuparse...
DOÑA PAULA.—Como tiene un coche tan antiguo, se pasa las tardes enteras en los talleres de reparaciones... ¡Pobrecillo! ¡Es tan bueno! ¡Y el automóvil es tan malo! ¡Ah! Además, he estado hirviendo la jeringuilla y preparando el inyectable para que cuando tu amiga quiera, Maribel, pase a ponérsela a mi hermana.
MARIBEL.—Cuando usted diga, doña Paula.
RUFI.—Yo estoy aquí a su disposición.
DOÑA PAULA.—Pregúntale a Matilde si le parece bien que vayamos ya.
MARIBEL.—Sí. Voy enseguida.

(Y hace mutis por el foro).

DOÑA PAULA.—*(A* RUFI). Ha sido usted muy amable viniendo, señorita. Digo, señora... Porque ya nos ha dicho Maribel que tiene usted un niño muy rico.
RUFI.—Sí, eso sí. No me puedo quejar.
NINÍ.—El nene es muy hermoso.

DOÑA PAULA.—Pues a ver cuándo lo trae usted para que le regalemos unas cajas de chocolatinas... Y también tendremos mucho gusto en conocer al padre del niño.
PILI.—Eso mismo quisiera ella.
DOÑA PAULA.—¿Cómo ha dicho?
PILI.—No, nada.
NINÍ.—Es que siempre está de broma.
DOÑA PAULA.—Tiene cara de ser muy traviesa. *(A* RUFI). ¿No es cierto?
RUFI.—Sí que lo es, sí. ¡Si viera usted qué café tiene!
DOÑA PAULA.—¡Ah! ¿Pero tiene un café?
PILI.—Yo, no. Mis padres...
RUFI.—En su pueblo, ¿sabe?
DOÑA PAULA.—Muy bien, muy bien. *(A* RUFI). Y usted lleva una falda muy bonita.
PILI.—¿Verdad que sí? Pues ya ve usted, estas siempre se están metiendo con mi faldita.
DOÑA PAULA.—¡Por Dios! ¡Pero si le está divinamente! Bueno, las tres van ustedes preciosas y muy modernas, como a mí me gusta. *(A* NINÍ). Y usted es muy guapita... ¿Cómo se llama?
NINÍ.—¡Niní!
DOÑA PAULA.—¡Huy, Niní! ¡Qué cortito!

(Y entra MARIBEL *por la puerta del foro).*

MARIBEL.—Cuando quieras, Rufi. Doña Matilde te está esperando.
DOÑA PAULA.—*(Se levanta).* ¿Pasa usted a ponérsela?
RUFI.—Encantada.
MARIBEL.—Yo iré también para presentar a mi amiga.
DOÑA PAULA.—Pasaré delante, para enseñarle el camino.

(Y hace mutis por el foro).

MARIBEL.—Pasa, Rufi.
RUFI.—Gracias.

(Y hace mutis detrás de DOÑA PAULA).

MARIBEL.—*(A* PILI *y* NINÍ). Vuelvo enseguida.

(Y hace mutis también. Quedan solas PILI *y* NINÍ).

PILI.—Bueno, ¿pero tú estás viendo?
NINÍ.—¿Qué es lo que estoy viendo?
PILI.—Pues todo... ¿Qué va a ser? ¿Si la señora esta prefiere estar sola a mal acompañada, cómo es que nos deja estar aquí?
NINÍ.—Porque somos amigas de Maribel.
PILI.—Pero de todos modos, es muy raro que si la otra vieja está mala, no llamen a un médico.
NINÍ.—No será nada de cuidado.
PILI.—¿Pero y si lo es? A la edad de estas señoras todo es de cuidado. ¿Y cómo estando la madre mala, el hijo no está aquí y se pasa la tarde arreglando el coche? ¿Para qué lo quiere arreglar?
NINÍ.—Será para tenerlo arreglado, hija.
PILI.—Y esa puerta, ¿por qué no la abren?
NINÍ.—¡Chica, qué manías! ¡A todo le tienes que poner defectos!
PILI.—Mira, Niní. Hazme caso a mí. Siempre que en una casa hay una puerta que no se abre, es que en esa casa hay gato encerrado.

(En este momento se abre la puerta de la izquierda y, silenciosamente, sale por ella DON JOSÉ. *Es un hombre de*

unos sesenta años, un poco extraño, vestido de luto y con un aire triste. Se dirige hacia la puerta del foro, pero al ver a NINÍ *y* PILI, *las saluda).*

DON JOSÉ.—Buenas.
PILI y NINÍ.—*(A las que apenas les salen las palabras del cuerpo).* Buenas...

(Y una vez que las ha saludado, sigue su camino, abre la puerta que da a la escalera, sale y deja cerrado. PILI *y* NINÍ *no salen de su asombro. Están inquietas y asustadas).*

PILI.—¿Qué dices ahora?
NINÍ.—Nada. No puedo hablar.
PILI.—Conque no había nadie en esa habitación, ¿eh?
NINÍ.—Pues ya ves...
PILI.—Conque estaba siempre la puerta cerrada...
NINÍ.—Oye, tú. Yo me voy.
PILI.—Espera.
NINÍ.—Es que a mí esto no me gusta nada. Aquí hay fantasmas.
PILI.—Ha dejado la puerta abierta. Anda. Mira a ver lo que hay dentro.
NINÍ.—¡Narices! Mira tú si quieres.
PILI.—Pues claro que miro... *(Y entreabre la puerta y observa dentro).* Es un despacho. Con una mesa y muchos estantes... Y la luz de la mesa está encendida.
NINÍ.—*(Que está cerca de la puerta del foro).* ¡Cierra! ¡Que vienen!

(Y las dos se reúnen cerca de la mesa redonda, y se quedan de pie. Por la puerta del foro entra DOÑA PAULA).

DOÑA PAULA.—Le ha puesto la inyección maravillosamente... Desde luego, mucho mejor que el médico... ¿Pero qué hacen ustedes de pie?

PILI.—No, nada.

DOÑA PAULA.—Y yo ahora les voy a hacer a ustedes una taza de té para que merienden aquí con nosotras... ¿Les gusta el té o prefieren un cóctel?

NINÍ.—No preferimos nada.

PILI.—No se moleste. Nos vamos a ir, porque a mí me está esperando un señor...

(Y entra MARIBEL, *que se sorprende al ver a sus amigas tan asustadas).*

MARIBEL.—¿Pero qué os pasa?

DOÑA PAULA.—Eso digo yo... ¿Cómo están ustedes tan serias? ¿Les ha ocurrido algo?

PILI.—Sí. Nos ha ocurrido que de esa habitación ha salido un hombre y se ha marchado por la puerta de la escalera.

MARIBEL.—¿Estáis locas? ¿Cómo va a salir un hombre de esa habitación?

DOÑA PAULA.—Bueno, sí. No tiene importancia. Habrá salido a tomar café, porque el café le gusta mucho. Pero volverá enseguida. *(Y se dirige a la puerta del foro).* En fin, con el permiso de ustedes, me voy a ir a preparar la merienda. Tú puedes quedarte, Maribel, y así haces compañía a tus amigas.

MARIBEL.—*(Seria, va hacia el foro cuando* DOÑA PAULA *va a salir).* ¡Oiga, doña Paula!

DOÑA PAULA.—*(Volviendo).* ¿Qué quieres, hija?

MARIBEL.—¿Quién es ese hombre que han visto mis amigas?

DOÑA PAULA.—Es don José, mi administrador. Viene todos los meses y se encierra en ese despacho, en donde me pone los papeles en orden y me lleva las cuentas. Y en cuanto me descuido, se va a la calle a tomar café a un bar de aquí al lado, pero vuelve enseguida. Como tiene llavín, porque es un hombre de toda mi confianza, entra y sale cuando le da la gana... ¡Y si vierais lo bueno que es! ¡Un bendito! Callado, humilde y trabajador como nadie. Para él solo existe su trabajo, su mujer y sus hijos.

MARIBEL.—*(Seria).* No me había dicho usted nada de todo eso.

DOÑA PAULA.—No creí que te interesase.

PILI.—¡Pero a nosotras nos ha asustado!

DOÑA PAULA.—No comprendo cómo puede asustarles a ustedes el que yo tenga un administrador... Bueno, les voy a ir preparando un cóctel. «El Manhattan cóctel», que yo lo preparo muy bien... Y de paso estaré al cuidado de Matilde... Pero cómo tarda Marcelino, ¿verdad, Maribel?

MARIBEL.—Sí, tarda ya bastante.

DOÑA PAULA.—Este chico un día terminará por darnos un disgusto... Hasta ahora mismito, señoritas.

(Y DOÑA PAULA *hace mutis por el foro.* MARIBEL, PILI *y* NINÍ *se sientan preocupadas).*

NINÍ.—¿Por qué dice que el chico terminará por daros un disgusto?

MARIBEL.—*(Cada vez más preocupada).* No sé, no sé nada. Pero lo más chocante es que no me hayan dicho que en la casa había un hombre.

PILI.—¿No te decía yo que aquí había tomate? ¡Para que te fíes de los inocentes!

MARIBEL.—¿Y qué aspecto tenía?

NINÍ.—Un tipo ya mayor, y bastante triste. Y con toda la facha de un fantasma...

PILI.—Era así, como muy alto.

NINÍ.—No, hija. Pero si era bajito y encorvado.

PILI.—¡Te digo que era alto!

MARIBEL.—Bueno, fuese como fuese, ya habéis oído que es el administrador. Y los administradores los hay de todos los tamaños. Al fin y al cabo, todo es muy natural.

PILI.—*(Se levanta indignada).* Mira, Maribel. Ya está bien de bromas. Si a ti te parece todo natural, allá tú. Pero yo me marcho de esta casa.

NINÍ.—¡Pero no seas loca!

MARIBEL.—¿Por qué vas a irte?

PILI.—Porque no quiero verme mezclada en ningún lío, ¿comprendes? Y porque tengo miedo de que te pase algo.

MARIBEL.—¿Pero qué me puede pasar a mí?

PILI.—¿Tú eres tonta, o qué? Sabes perfectamente que se han dado casos de chicas como nosotras que se van con hombres y no vuelven a aparecer más por ninguna parte.

NINÍ.—Pero eso es porque las retiran.

MARIBEL.—O porque se casan, lo mismo que me voy a casar yo. No es la primera vez que sucede. Y tú y yo conocemos a algunas...

PILI.—¿Pero estás segura de que se casaron? ¿Nos invitaron a la boda? No, hija. De pronto llegó un fulano al bar, casi siempre con cara de mosquita muerta, empezó a salir con una de las chicas y un buen día la chica nos dijo que se iba a casar. ¿Pero llegó a casarse? ¡Cualquiera lo sabe!... Porque la cuestión es que después no volvimos a saber más de ella. Ni una postal, ni unas líneas a su mejor amiga. Ahora, según tú dices, este hombre se va a casar contigo y va a llevarte a un pueblo donde tiene una fábrica. ¿Pero sabemos dónde está ese pueblo y esa fábrica?

MARIBEL.—Pues claro que sí. La fábrica existe. Y las cajas de chocolatinas con su nombre. *(Le enseña la caja).* Mírala: «Terrón e Hijo». Y el pueblo también lo pone aquí. Y la provincia. ¿Es que todavía quieres más detalles?

PILI.—Bueno, ¿y qué? ¿Es que si tú desapareces va a ir alguien a preguntar por ti a «Terrón e Hijo»? ¿Dejas aquí familia? ¿Dejas a alguien que se vaya a interesar por tu paradero?

NINÍ.—En eso tiene razón esta.

MARIBEL.—¡Pero este no es un hombre de esos de los que no se sabe nada! Lo primero que ha hecho es presentarme a su madre y a su tía. Y al médico. Y la asistenta también me conoce.

NINÍ.—En eso tiene razón esta.

PILI.—¡Tú, cállate, niña!

MARIBEL.—¿Por qué vamos a empeñarnos en pensar mal de todo el mundo? ¿Por qué no creer que existe gente buena y normal y que yo pueda ser feliz? ¿Es que no tengo derecho a serlo? Y, sobre todo, no creo que porque el administrador de doña Paula haya salido por la puerta del despacho, vaya yo a deshacer una boda…

NINÍ.—En eso tiene razón esta.

MARIBEL.—Porque todavía si hubiera salido por la pared o por el piano, podría una asustarse; pero vamos, creo que ha salido por la puerta. Y para eso están las puertas. Para que se salga y se entre.

PILI.—Cállate ya y dime una cosa. ¿Vosotros cuándo os vais a casar?

MARIBEL.—Él quiere cuanto antes. Los papeles ya están casi arreglados. Pero nos vamos a casar en el pueblo donde tiene la fábrica.

PILI.—¡Ah, vaya!

MARIBEL.—Y lo hemos retrasado un poco hasta que la madre se ponga buena.

PILI.—¡Claro! ¡Ya está!

NINÍ.—¿El qué está?

PILI.—Que si no llaman a un médico, como sería lo natural, es porque la madre no está mala, sino que lo finge.

MARIBEL.—¿A santo de qué?

PILI.—Para retrasar la boda.

MARIBEL.—¿Y qué sacan con eso?

PILI.—¿Cómo que qué sacan? Pues que a lo mejor te dice que le acompañes a la fábrica antes de casarte, para ver la casa, o para cualquier otra cosa... Y entonces, allí solos, pues va y...

MARIBEL.—¿Pues va y qué?

PILI.—Pues va y te mata.

MARIBEL.—¿Pero por qué me ha de matar? ¡Mira que es manía!

NINÍ.—Es verdad, hija. Tú te has empeñado en que se la carguen.

PILI.—Porque los hombres matan ahora mucho, porque están muy sádicos...

MARIBEL.—¿Pero no comprendes que si me quisiera haber matado no hubiera tenido necesidad de tanta historia? Porque a cualquiera de nosotras nos invita un señor a pasar dos días en el campo, y vamos tan contentas, sin que nos hablen de matrimonio ni nos inviten a chocolatinas en casa de su madre.

PILI.—*(Convencida).* Sí, claro. En eso también tienes razón.

NINÍ.—Pues claro que la tiene.

MARIBEL.—¿Lo estás viendo? Mira, Pili. Yo te agradezco mucho que te preocupes tanto por mí, pero debes estar tranquila, como lo estoy yo. Y si me quieres, no me amargues la vida cuando empiezo a ser tan dichosa...

(Entra RUFI *por el foro con una gran bandeja en donde lleva unas copas de cóctel. Viene muy contenta).*

RUFI.—¡Simpatiquísima!... Pero vamos, ¿cómo te diría yo? ¡Que es una señora simpatiquísima! Te doy la enhorabuena, Maribel. Yo en tu caso también estaría encantada. Aquí traigo el cóctel que ha hecho doña Paula, para que yo lo sirva.

MARIBEL.—Yo te ayudaré.

(Y colocan las copas sobre la mesa).

RUFI.—¡Hay que ver qué gente tan amable y qué cocinita tan limpia! Y además, tenías mucha razón. Yo también voy a venir aquí a pasarme las tardes enteras y a hacer crochet de ese… Y es que se encuentra una tan a gusto, ¿verdad? ¡Como si de repente entrase una en el cielo! *(Se bebe de un trago una copa del aperitivo).* Esto está muy rico, ¿sabéis? Ya me he tomado otra en la cocina… ¿Qué os parece?

(NINÍ *y* PILI *beben).*

NINÍ.—Sí que está bueno.

PILI.—Demasiada ginebra.

MARIBEL.—No beber mucho.

RUFI.—No tengas cuidado… ¡Ah! Y ya me ha contado el susto que os ha dado el administrador cuando ha salido del despacho. ¡Pero cuidado que sois tontas! Doña Paula se estaba riendo con todas sus ganas… ¡Mira que asustarse por eso!

PILI.—Es que salió así, tan de repente…

(La puerta de la escalera se ha abierto y ha entrado DON JOSÉ, *que, después de volverla a cerrar, se dirige hacia el despacho. Al pasar dice).*

DON JOSÉ.—Buenas.

TODAS.—Buenas…

RUFI.—*(Que está de espaldas a* DON JOSÉ). ¿Quién es?

PILI.—El administrador.

DON JOSÉ.—Adiós.

RUFI.—*(Se vuelve y lo ve cuando* DON JOSÉ *va a entrar por la puerta de la izquierda).* ¡Anda! ¡Pero si es Pepe! ¡Pepe!

(DON JOSÉ *se vuelve extrañado. Ve a* RUFI. *Y evidentemente la reconoce. Se muestra azorado y confuso, y seguirá así durante toda la escena).*

DON JOSÉ.—¡Ah! Hola, Rufi... *(Y mira también a las demás).* ¿Pero qué hace usted aquí?

RUFI.—*(Las copas la han alegrado un poquito).* Oye, guapo... ¿Desde cuándo me hablas tú de usted?

DON JOSÉ.—*(En voz baja).* Perdona, pero es que aquí soy el administrador, ¿sabes?

PILI.—Bueno... Eso ya nos lo ha dicho doña Paula.

DON JOSÉ.—*(Cada vez más extrañado).* ¡Ah! ¿Conocen ustedes a doña Paula?

RUFI.—Claro, hijo... ¿Qué íbamos a hacer aquí, entonces?

DON JOSÉ.—Eso me estoy yo preguntando.

RUFI.—Pues que hemos venido de visita a tomar una copa... ¿Quieres un cóctel? Está de miedo...

MARIBEL.—¡Vamos, Rufi! ¡Calla!

RUFI.—¿Por qué voy a callarme? ¡Pero si le conozco de toda la vida! Anda, toma.

DON JOSÉ.—No, no. Gracias. Acabo de tomar café ahora en un bar de abajo. *(Siempre sin salir de su asombro).* Entonces, ¿están ustedes aquí de visita, tomando una copa?

NINÍ.—¿Pero hijo, es que usted no nos vio antes, al salir?

DON JOSÉ.—Sí, pero no presté mucha atención... Sólo vi que había dos señoritas... Pero ahora veo que hay cuatro. ¿Es que va a venir alguna más?

PILI.—No. Por ahora no.
RUFI.—Cuando tú saliste, nosotras estábamos en el dormitorio de doña Matilde.
DON JOSÉ.—¿En el dormitorio de doña Matilde?
MARIBEL.—¿Por qué le extraña?
DON JOSÉ.—No, no. Por nada.
RUFI.—¡Pero si somos íntimas amigas!
DON JOSÉ.—¡Ah! No sabía...
NINÍ.—¿Y desde ese despacho no oyó usted lo que estábamos hablando?
DON JOSÉ.—Estaba trabajando. Oí hablar, pero no presté atención... Como doña Matilde está un poco enferma, pensé que era alguna visita que había venido a interesarse por su estado de salud.
RUFI.—Pues éramos nosotras.
DON JOSÉ.—¿Y dónde están ellas ahora? Como soy el administrador, no me gustaría que...
RUFI.—No te preocupes. Están las dos hermanas en la alcoba... Creo que doña Matilde se quiere levantar un poquito, y doña Paula la está ayudando... Yo le acabo de poner una inyección en un muslito...
DON JOSÉ.—¡Ah!
MARIBEL.—¿Y lleva usted mucho tiempo trabajando aquí?
DON JOSÉ.—Unos quince años... Administro los bienes de doña Paula. Y como esta casa es tan seria...
MARIBEL.—¿Y conoce también a doña Matilde?
DON JOSÉ.—Naturalmente. Una persona excelente, como todos ellos... Por eso no me explico...
MARIBEL.—¿Y al hijo?
DON JOSÉ.—¡Ah! Don Marcelino es un santo... Muy buena persona... Y muy listo para los negocios... Su fábrica de chocolatinas la lleva divinamente... Y eso que desde que se quedó viudo...

MARIBEL.—*(Asombrada, como todas ellas).* ¿Viudo, dice usted?

DON JOSÉ.—Sí, hace unos cinco años... Su mujer también era una santa y de muy buena familia... Se llamaba Susana... Pero la pobre murió muy joven, ahogada en un lago próximo a la fábrica... Un accidente estúpido, según parece... Tengo entendido que ahora va a volverse a casar... Me ha dicho doña Paula que ha conocido a una señorita muy formal y muy buena, de la que está verdaderamente enamorado...

RUFI.—*(Queriendo presentar a* MARIBEL*).* Pues la señorita esa es...

MARIBEL.—*(Cortando, enérgica).* ¡Calla, Rufi! ¡Y no bebas más!

RUFI.—*(Comprendiendo su indiscreción).* Perdona...

DON JOSÉ.—*(Volviendo a mirarlas a todas).* Pero lo que yo no entiendo, nenitas...

MARIBEL.—No tiene usted que entender nada... ¿No estaba usted trabajando? Pues continúe con lo que estaba haciendo.

DON JOSÉ.—Sí, claro... Pero...

MARIBEL.—Doña Paula nos ha dicho que para usted solo existe su trabajo, su mujer y sus hijas... *(A las otras).* ¿Es verdad o no?

PILI.—Sí. Eso ha dicho.

MARIBEL.—Pues entonces no pierda el tiempo con nosotras y váyase a lo suyo...

DON JOSÉ.—Será mejor, claro... Ustedes perdonen. Buenas tardes...

RUFI.—Adiós, Pepe.

DON JOSÉ.—Adiós, Rufi.

(Y DON JOSÉ *hace mutis por la puerta de la izquierda, que deja cerrada).*

MARIBEL.—*(A* RUFI*).* ¿Por qué le llamaste? Ahora dirá quiénes somos. Y has estado a punto de decirle también que yo era la novia.

RUFI.—No sabía bien lo que decía... Pero no debes preocuparte. Por la cuenta que le tiene, no dirá nada.

NINÍ.—Tampoco a él le conviene.

MARIBEL.—Ahora todo puede terminar... Este tipo sabe perfectamente con quién se juega los cuartos.

PILI.—*(Pensativa).* Y también sabe que Marcelino es viudo. ¿Lo sabías tú?

MARIBEL.—*(Cada vez más preocupada).* No. No sabía nada. ¿Por qué me lo ha ocultado?

NINÍ.—Y su mujer se ahogó en un lago...

PILI.—Y se llamaba Susana... Como la cotorra.

RUFI.—Eso sí que es raro... ¡Porque mira que ponerle a ese pajarraco el mismo nombre que tenía la ahogada!

PILI.—*(A* MARIBEL). ¿Tenía yo razón o no? Y sobre todo, el Marcelino ese, ¿dónde está? ¿Jugando a hacerse el misterioso?

(Igual que en el acto primero, la entrada de MARCELINO *pilla de sorpresa a las figuras que están en escena y que hablan de espaldas a la puerta del foro.* MARCELINO *ha entrado silenciosamente por la puerta de la escalera y ha cerrado después. Trae una gran caja de cartón debajo del brazo. Cruza el vestíbulo y entra).*

MARCELINO.—Hola, buenas tardes.

(MARIBEL, *al verle, va hacia él, emocionada. Sus amigas se levantan y quedan a la izquierda, de pie, observándole).*

MARIBEL.—¡Marcelino!

MARCELINO.—*(Cariñoso y dulce).* ¿Cómo estás, Maribel? ¿Te ocurre algo?

MARIBEL.—Estaba tan intranquila.
MARCELINO.—¿Por qué?
MARIBEL.—No sé... Por todo... Por lo que tardabas en volver.
MARCELINO.—He preferido esperar un poco y que me dejaran el coche completamente terminado para no tener que volver al taller mañana... Ahora ya está todo a punto... ¡Ah! Y además he ido de compras, ¿sabes?

(Y le muestra la caja).

MARIBEL.—¿Qué traes ahí?
MARCELINO.—Me he permitido comprarte un vestido, Maribel... Lo he visto en un escaparate y me ha parecido precioso y de muy buen gusto... Y yo espero que de medidas te esté bien.
MARIBEL.—Muchas gracias, Marcel... Eres muy bueno.
MARCELINO.—Tú sí que eres buena, Maribel.
MARIBEL.—*(Por la caja del vestido).* Déjame que lo vea.
MARCELINO.—Pero... ¿no me presentas antes a tus amigas?
MARIBEL.—Sí, claro... *(A sus amigas).* Perdonar... Esta es Rufi, la que ha venido a poner la inyección a tu madre. La que tiene el niño, ¿sabes? Y estas son Pili y Niní.
MARCELINO.—Me alegra mucho conocerlas, señoritas...
RUFI.—Lo mismo digo.
NINÍ.—Encantada.
PILI.—Encantada.
MARCELINO.—Le agradezco muchísimo su atención por haberse molestado en venir...
RUFI.—No faltaba más. Una está aquí para servirles.
MARCELINO.—Tus amigas parecen muy simpáticas y muy amables, Maribel.
RUFI.—¿Verdad que sí?

MARCELINO.—*(Sincero).* Claro…
RUFI.—*(A* MARIBEL). Para que te vayas dando cuenta, guapita…
MARIBEL.—*(Haciendo una seña a sus amigas para que la dejen sola con* MARCELINO*).* ¿No teníais prisa por marcharos?
NINÍ.—Sí. Una poca.
MARIBEL.—Pues cuando queráis…
PILI.—Bueno, pues yo me voy.
NINÍ.—Y yo también.
RUFI.—*(Mirando a* MARCELINO, *que le ha caído simpático).* ¿Tan pronto?
PILI.—Sí. Es un poco tarde ya.
RUFI.—Pero nos tendremos que despedir de la familia, ¿no?
MARIBEL.—Ya os despediré yo, no os preocupéis.

(Y va hacia la puerta de la escalera. NINÍ, PILI *y* RUFI *van despidiéndose de* MARCELINO, *que les estrecha la mano).*

NINÍ.—Pues mucho gusto en haberle conocido.
MARCELINO.—Lo mismo digo.
PILI.—Encantada de saludarle.
MARCELINO.—Es usted muy amable.
RUFI.—Pues hasta otro día.
MARCELINO.—Muy agradecido por todo, señoritas.

(Cuando se han despedido, MARCELINO *pasa al mirador. Y* MARIBEL *dice a* RUFI, *que es la última que hace mutis).*

MARIBEL.—¿Qué te ha parecido?
RUFI.—Mañana hablaremos, Maribel.

(Y cuando RUFI *ha hecho mutis,* MARIBEL *cierra la puerta y vuelve junto a* MARCELINO).

MARCELINO.—Parece que tenías prisa porque se fueran…
MARIBEL.—Es que necesito hablar contigo.
MARCELINO.—¿De qué?
MARIBEL.—No me habías dicho que eras viudo.
MARCELINO.—¿No te lo había dicho?
MARIBEL.—¡Claro que no!
MARCELINO.—¿Estás segura?
MARIBEL.—¿Cómo no voy a estarlo?
MARCELINO.—Bueno, en ese caso, es que se me habrá olvidado.
MARIBEL.—¿Y a tu madre y a tu tía se les ha olvidado también?
MARCELINO.—Es muy posible. Pero no creo que esto tenga demasiada importancia, Maribel…
MARIBEL.—¿Tampoco tiene importancia que tu mujer se ahogase en un lago?
MARCELINO.—*(La mira. Y hace una pausa antes de hablar).* Quizá por eso no te lo haya dicho. Ni ellas tampoco… ¡Fue todo tan triste y tan inesperado!… Y a ninguno nos gusta hablar de aquello, la verdad. *(Cambia de tono).* Y menos ahora, que ya todo pasó y vamos olvidándolo gracias a ti… Porque tú has vuelto a llenar la casa de alegría, y yo estoy enamorado de nuevo, como si fuera la primera vez.
MARIBEL.—¿Pero es cierto que me quieres? ¡No me engañes, Marcel!
MARCELINO.—¿Cómo puedes dudarlo? No creí que te llegase a querer tanto.
MARIBEL.—*(Casi a punto de echarse a llorar).* Es que yo no comprendo… Yo no comprendo nada… ¡Y yo quisiera comprender!
MARCELINO.—Estás muy nerviosa, cariño… Te encuentro siempre muy excitada desde el primer día que entraste aquí… ¿Por qué todo esto? ¿No te convendría una temporada de descanso?

MARIBEL.—¡En esa habitación está un hombre! ¡El administrador! ¡Yo no sabía que estaba! ¡Y él ha sido quien me ha dicho que tú eras viudo!

MARCELINO.—Es natural. Él está al corriente de toda nuestra vida. Es muy buena persona, además... Ahora voy a entrar a saludarle.

MARIBEL.—*(Con miedo).* ¡No! ¡No entres! ¡No quiero que le veas! ¡No quiero que le hables!

MARCELINO.—¿Pero a qué viene todo esto, Maribel? ¡Ya está bien de tantos nervios y tantas tonterías!

MARIBEL.—Sí. Tienes razón. Debes perdonarme.

(Y ahora, por el foro, entra DOÑA MATILDE, *seguida de* DOÑA PAULA).

DOÑA MATILDE.—¡Hijo mío! ¿Pero cómo no has entrado a verme?

MARCELINO.—¿Pero te has levantado, mamá?

DOÑA MATILDE.—Sí, claro. Me encuentro muchísimo mejor.

DOÑA PAULA.—Como no tiene fiebre, considero una majadería que esté perdiendo el tiempo en la cama... ¿No te parece, Maribel?

MARIBEL.—Sí. Claro que sí.

DOÑA MATILDE.—¿Pero y tus amigas, hija?

MARIBEL.—Se han ido ya y me han encargado que les diga a ustedes adiós... No han querido pasar por no molestarlas.

DOÑA MATILDE.—¿Y esa caja qué es?

MARIBEL.—Marcelino me ha traído un regalo.

DOÑA PAULA.—¿Ah, sí?

MARCELINO.—Es un vestido.

DOÑA MATILDE.—¡Mira qué bien!

(Y tiene una sonrisa de complicidad con DOÑA PAULA).

DOÑA PAULA.—¿A ver? ¡Sácalo de la caja!

(MARIBEL *saca el vestido de la caja. Un vestido blanco, de novia. La sorpresa apenas la deja hablar).*

MARIBEL.—¡Pero Marcel!
MARCELINO.—¿Te gusta?
MARIBEL.—¡Un vestido de boda!
DOÑA MATILDE.—¡Te reservábamos esa sorpresa, Maribel!
DOÑA PAULA.—Todo lo hemos llevado en el mayor secreto.
MARCELINO.—Hace ya unos días que lo tenía encargado.
MARIBEL.—¡Un vestido blanco!
DOÑA PAULA.—Es sencillo, ¿sabes? Pero como la boda será en el pueblo, no conviene que sea muy rimbombante[22].
MARCELINO.—¿Qué te parece a ti?
MARIBEL.—No sé qué decir... Estoy emocionada... Y tengo ganas de llorar...
DOÑA MATILDE.—¡Pobrecita!
DOÑA PAULA.—¡Es como una niña pequeña!
MARCELINO.—¿Pero qué te pasa? ¿No notáis que está un poco excitada?
DOÑA PAULA.—Sí. Un poquitín quizá.
DOÑA MATILDE.—Necesitaba un poco de descanso...
MARCELINO.—*(A* MARIBEL). Estoy pensando que ya que acaban de repararme el coche, podíamos probarlo haciendo un viaje los dos juntos... Y antes de casarnos, pasar unos días en nuestra casa de la fábrica.
MARIBEL.—*(Se levanta aterrada).* Dices... ¿que nos vayamos de viaje antes de casarnos?

[22] *rimbombante:* ostentoso, llamativo.

MARCELINO.—Te sentaría bien un cambio de aires, y así podrías ver tú misma las cosas que hacen falta en la casa, para después, al volver, comprarlas en Madrid.

MARIBEL.—¿Al volver?

MARCELINO.—Claro.

MARIBEL.—Entonces... ¿quieres que nos vayamos allí los dos solos?

MARCELINO.—Sí. ¿Por qué no? ¿Te parece mal?

DOÑA PAULA.—Las chicas modernas ahora van solas con sus novios a todas partes.

MARIBEL.—*(Mirando con miedo a* MARCELINO). Y sin embargo...

DOÑA MATILDE.—Yo estoy segura de que lo vas a pasar muy bien.

DOÑA PAULA.—Verás la casa...

MARCELINO.—Y verás la fábrica...

MARIBEL.—*(Apenas con un hilo de voz).* Y también veré el lago, ¿no es eso?

MARCELINO.—¿Y por qué no?

(Al referirse al lago, DOÑA MATILDE *y* DOÑA PAULA *quedan tristes. Pero esta última continúa hablando).*

DOÑA PAULA.—A mí me han dicho que es muy hermoso... Y además tiene un bonito nombre. Le llaman «El lago de las niñas malas»...

(MARIBEL *mira a todos, cada vez más inquieta. Y ellos hacen un esfuerzo por sonreír. Y rápidamente cae el*

TELÓN).

ACTO TERCERO

Gabinete y alcoba en el viejo caserón de la familia «Terrón e Hijo», que está emplazado junto a su fábrica de chocolatinas. En el lateral izquierdo, una gran ventana con visillos que, al descorrerse, dejan ver un forillo de jardín. Bajo la ventana, una mesa que sirve de escritorio; y junto a ella, un viejo sillón. En el paño del foro, a la izquierda, una única puerta, por la que se entra a esta doble pieza. Y a la derecha del foro un gran hueco, con cortinas de encaje, por la que se entra a la alcoba, en la que vemos parte de la cama y de la mesilla de noche. Se supone que, entrando a la alcoba, a la derecha hay un posible cuarto de baño. Entre la puerta y la alcoba un armario ropero. En el lateral derecho solo hay —aparentemente— una salamandra[23] *con su tubo de humos que sale por el techo. Y una cómoda. Cerca de este término, un sofá y una butaca. Sobre la cama una pequeña maletita, que está abierta, y de la que sobresalen algunas prendas femeninas.*

Aunque todo está anticuado y viejo, el conjunto no debe resultar sombrío ni desagradable, y guardar cierta relación con el piso de la calle de Hortaleza, para no romper el clima de los actos anteriores. Lo que vemos del dormitorio es más bien coquetón y simpático. Y tanto en la alcoba como en el gabinete hay pantallas sobre la mesa, la mesilla de noche, etc., que dan a la escena una luz suave.

[23] *salamandra:* especie de estufa o calorífero de combustión lenta.

(Algunas de estas luces están encendidas al levantarse el telón. Sobre todo las de la alcoba. Y en la escena no hay nadie. Se escucha el sonido, muy próximo, de las campanas del reloj de una iglesia. Y por la parte derecha de la alcoba aparece MARIBEL. *Al hombro lleva una toalla y en la mano un cepillo. Y va hacia el gabinete, llega hasta la ventana, levanta un visillo y escucha complacida las campanas que siguen sonando. Enseguida dan unos golpecitos en la puerta).*

MARIBEL.—Pasa... *(Y entra* PILI *con un vestido de excursión.* MARIBEL *se vuelve).* ¿Ah? ¿Eres tú?

PILI.—*(Y va hacia la ventana, de donde no se ha apartado* MARIBEL). ¿Estás oyendo las campanas?

MARIBEL.—Sí. Resulta muy bonito, ¿verdad? Más que por las campanas, por el silencio tan grande que queda después... Deben ser las del reloj de la iglesia del pueblo.

PILI.—*(Siempre desconfiada).* ¿Y por qué tocan las campanas a estas horas?

MARIBEL.—Porque deben ser ya las nueve.

PILI.—No es verdad. Son las nueve y cuarto.

MARIBEL.—Pues tocarán también los cuartos.

PILI.—¡Déjate de cuartos ni de gaitas! A mí me parece muy raro que toquen tanto las campanas. Algo grave pasa. A lo mejor es que hay catástrofe.

MARIBEL.—¡Hija, Pili! ¿Vamos a empezar otra vez? ¿Quieres no ponerme nerviosa?

PILI.—¿Pero es que no puede haber catástrofe?

MARIBEL.—Puede haberla, pero no la hay.

PILI.—Bueno, pues si quieres, me callo.

MARIBEL.—Sí. Si te callas será mejor.

PILI.—Bueno, muy bien. Ya estoy callada. Y Marcelino, ¿dónde está?

MARIBEL.—Ya nos dijo que iba a su cuarto a arreglarse un poco. De manera que se estará arreglando, y después vendrá para enseñarnos la casa y dar un paseo.

PILI.—Y llevarnos al lago, ¿verdad?

MARIBEL.—¡Al lago o a la porra! ¿Quieres callarte ya? ¡Por favor, te lo ruego!

PILI.—Está bien. Lo que quieras. Ya estoy callada. Oye...

MARIBEL.—¿Qué?

PILI.—Nada.

(La puerta del foro vuelve a abrirse y entra RUFI. *También va vestida de excursionista. Se dirige a las chicas con aire misterioso).*

RUFI.—¡Maribel!

MARIBEL.—¿Qué?

RUFI.—He oído a Marcelino, que bajaba muy despacito la escalera.

MARIBEL.—¿Ah, sí?

RUFI.—Sí.

PILI.—¿Pero cómo? ¿Es posible?

RUFI.—Como lo oyes. Me he asomado a la barandilla y le he visto bajar, pero muy despacito..., pero muy despacito...

MARIBEL.—Bueno... ¿Pero es que tampoco va a poder bajar despacio por las escaleras?

RUFI.—Yo te digo solo lo que he visto, para que tengas cuidado. No olvides que si hemos venido aquí ha sido para defenderte.

PILI.—Pero si te molesta, nos lo dices y nos marchamos. ¡Porque, hija, hay que ver cómo te pones en cuanto se te dice algo de tu Marcelino!

MARIBEL.—No me pongo de ninguna manera, pero me molesta, porque creo que estáis exagerando... ¿Ha pasado algo en el viaje? ¿No ha estado con nosotras tan fino y tan simpático? ¿Os ha dicho alguna inconveniencia? ¿Se ha propasado en algún momento?

PILI.—Pues eso es lo chocante.

MARIBEL.—Es un hombre educado, no lo olvides.

RUFI.—A mí lo que me extraña es que si es tan educado, se venga al campo con unas chicas.

PILI.—Nos irá a dar paella.

MARIBEL.—Os ha traído porque vosotras os empeñasteis.

PILI.—No es verdad. No nos empeñamos. Lo que pasa es que cuando fue a buscarte a la pensión, mientras tú ibas a preparar la maleta, nosotras le dijimos que también nos gustaría pasar un día de «camping», para respirar el oxígeno ese de los montes.

RUFI.—Y se lo dijimos, no por el oxígeno, que como comprenderás ya no está una para esos vicios, sino para no dejarte venir sola con él.

PILI.—Y él entonces dijo que encantado, y que no había ningún inconveniente.

RUFI.—Y por eso vinimos, nena... Que si no, ¡de cuándo!...

MARIBEL.—Comprenderéis entonces que si me hubiera traído aquí con intención de matarme, hubiera puesto algún pretexto para no traeros también a vosotras.

RUFI.—Querrá exterminar la profesión.

PILI.—Eso yo no lo creo. Pero puede ser una astucia. La prueba de que se trama algo, es que a ti te ha dado esta alcoba y a nosotras nos ha metido en otra, allí lejos, al final del pasillo.

MARIBEL.—Porque esta es la mejor, y yo soy la novia.

PILI.—Y para que desde allí lejos no oigamos los gritos.

MARIBEL.—¿Qué gritos?

RUFI.—Esos que se dan, caramba. Que a veces también pareces tonta.

(Ahora vuelve a abrirse la puerta y entra NINÍ, *muy emocionada. Viene en combinación).*

NINÍ.—¡Maribel!
MARIBEL.—¿Qué?
NINÍ.—Desde la ventana de nuestro cuarto le he visto salir al jardín.
PILI.—¿Al jardín?
RUFI.—¿Es posible?
NINÍ.—Y desde esta ventana, a lo mejor le vemos también. Va muy despacito.
RUFI.—¿No te digo? ¿Pero por qué lo hará todo tan despacito?

(Todas miran desde la ventana).

NINÍ.—Mírale.
MARIBEL.—Sí.
PILI.—Va andando por el jardín.
NINÍ.—Muy despacito...
RUFI.—Y ahora se aleja.
PILI.—¿Y adónde irá ahora?
NINÍ.—¡Yo tengo mucho miedo!
MARIBEL.—*(Indignada).* ¿Pero cómo podéis tener miedo porque salga al jardín y se aleje muy despacito?
PILI.—Mira, Maribel. Cuando fuimos a la calle de Hortaleza y nos explicaste tu caso, yo te anuncié que antes de casarte te traería a esta casa del campo con cualquier pretexto. ¿Me equivoqué o no me equivoqué?
MARIBEL.—No. No te equivocaste, es verdad. Y después, cuando de pronto él me lo propuso, llegué a tener miedo...
PILI.—Y sin embargo, aceptaste.

RUFI.—Y por no dar tu brazo a torcer delante de nosotras, pensabas venir sola como las reses van al matadero.

NINÍ.—¡Pobrecilla!

PILI.—¡Cállate, niña!

MARIBEL.—¡Pero es que en ese momento me acababa de regalar mi vestido de novia! Y la madre y la tía, casi lloraban de emoción... Y todos me miraban dulcemente... Y ellas mismas, tan buenas, fueron las que me animaron a venir.

PILI.—Esas deben ser dos pajarracas. Porque a su edad y bebiendo «Manhattan-cóctel»...

MARIBEL.—No debéis hablar así de unas señoras que os recibieron tan amablemente. Y que si os dieron aquel aperitivo fue pensando que unas chicas modernas lo prefieren al té o al chocolate.

RUFI.—Bueno, mira, guapita. Si tú tienes disculpas para todo y todo te parece bien, nos podíamos haber ahorrado la molestia de haber venido. Porque no sé si lo sabrás, pero por venir a acompañarte he perdido una cita con un señor que me iba a llevar a pasar dos días a un parador de la Sierra.

NINÍ.—¡Hijas! ¡Que no presumís poco con vuestros señores! Como si una solo saliera con el gato...

PILI.—Tú cállate, niña, y mira por ahí a ver si viene el silencioso.

MARIBEL.—Dime una cosa, Rufi... A ti te parece mal y raro y peligroso que mi novio me traiga a su casa. Y en cambio no te da miedo que un señor casi desconocido te lleve a pasar dos días a un parador de la Sierra.

RUFI.—Pues claro que no. Porque ese señor no me ha dicho que se va a casar conmigo.

MARIBEL.—Entonces, según tú, lo peligroso de Marcelino es que me haya dicho que se va a casar.

PILI.—Pues naturalmente. Un señor que propone eso, es siempre peligroso.

MARIBEL.—¿Por qué?

RUFI.—Porque puede ser un anormal. Una persona sana, que va de buena fe, no propone esas cosas raras.

PILI.—Lo que te pasa a ti es que tienes la mentalidad deformada.

NINÍ.—No se lo proponen a las chicas decentes, de modo que figúrate a nosotras. ¡Ja, ja!

MARIBEL.—Yo no soy como vosotras...

RUFI.—¡Oye, guapa!

PILI.—¡Atiza! ¡Otra vez se le subió el pavo!

MARIBEL.—Perdonarme, pero no sé lo que me digo.

RUFI.—A ti lo que te pasa es que estás enamorada de Marcelino. Confiésalo.

MARIBEL.—¡Pues sí! ¿Qué pasa? ¿Es que no tengo derecho a enamorarme? ¿Y él? ¿Es que no puede enamorarse también de mí?

PILI.—Total. Que este te mata y lo pasas divinamente.

MARIBEL.—¿Para eso habéis venido? ¿Para amargarme? ¿Para entristecerme?

PILI.—Hemos venido para que no te pase nada, porque te queremos. Porque sabemos que eres buena...

RUFI.—Pero tienes muchos pájaros en la cabeza y eres demasiado decente.

MARIBEL.—Ser decente no es pecado.

PILI.—Pero siempre es mal negocio.

NINÍ.—*(Que está mirando por la ventana).* ¡Callar! ¡Que viene hacia la casa!

PILI.—¿Viene?

NINÍ.—Sí. Se dirige hacia la izquierda. Pero no... Ahora tuerce por la derecha.

RUFI.—¿No te digo? Ya cambió de opinión.

MARIBEL.—¿Pero también os parece mal que vaya por la derecha o por la izquierda?

PILI.—Sí. Porque la entrada de la casa está a la izquierda. Y a la derecha la de la fábrica... Que yo me he fijado muy bien.

MARIBEL.—Pues habrá ido antes a la fábrica.

RUFI.—Bueno... ¿Y nosotras qué hacemos? ¿Nos quedamos o nos marchamos?

MARIBEL.—Es mejor que os marchéis. Porque a lo mejor viene aquí para hablar conmigo. Y yo quisiera hablar con él.

PILI.—¿De qué?

MARIBEL.—De muchas cosas. Estoy decidida a saber todo lo que me oculta, y confesarle todo lo que yo le estoy ocultando a él...

RUFI.—No debes hacer eso. También es peligroso.

NINÍ.—Y a lo mejor se lleva un disgusto.

MARIBEL.—¿Qué voy a hacer entonces?

PILI.—Espera que él se explique. Lo que sea sonará. Y nosotras estaremos al cuidado.

NINÍ.—Yo puedo esconderme en este armario.

RUFI.—Tú cállate, niña. Y no digas más tonterías.

PILI.—Lo que haremos será entrar de vez en cuando con cualquier pretexto.

MARIBEL.—Pero hacerlo con disimulo. Que él no note que estamos asustadas. Tengo miedo de que se enfade.

PILI.—De que se enfade y de todo, Maribel. Porque tú tienes tanto miedo como nosotras. Lo que pasa es que tratas de disimularlo. ¿Es verdad o no?

(Se oyen unos golpecitos).

MARIBEL.—Sí. Adelante.

(NINÍ *va a abrir la puerta del foro. La abre y no hay nadie).*

NINÍ.—¡Aquí no hay nadie!

PILI.—¿Quién ha llamado entonces?

(Todas están mirando hacia la puerta del foro. Pero en el paño de la derecha, donde aparentemente no hay nada, existe otra puerta forrada con el mismo papel con que está empapelada la habitación. Y por esta puerta entra MARCELINO, *sonriente).*

MARCELINO.—Hola.

(Todas se vuelven asustadas).

RUFI.—¡Mira!
MARIBEL.—¿Tú?
MARCELINO.—¿Qué os sucede?
PILI.—No, nada.
MARIBEL.—No sabíamos que había ahí esa puerta.
MARCELINO.—Sí. Comunica directamente con la fábrica. Y como he pasado por la fábrica para ver si había correspondencia, pues entré por aquí, que es más cómodo.
RUFI.—Claro, ya...
MARCELINO.—Siento que se hayan asustado.
RUFI.—No, por Dios. En absoluto.
MARCELINO.—Pensé que solo estaría Maribel.
PILI.—Pues ya ve. Estamos las cuatro.
MARCELINO.—Sí. Ya lo veo.
NINÍ.—¿Y de dónde viene usted ahora? ¿De su cuarto?
MARCELINO.—No. He ido a decirle a los guardas que nos preparen un poco de cena.
PILI.—¿Quiénes son los guardas?
MARCELINO.—Los que nos han abierto la puerta cuando hemos llegado. La guardesa es la cocinera, y él es el criado y jardinero y todas esas cosas.
RUFI.—¿Y dónde están los guardeses? ¿En la cocina o subidos a un árbol?

MARCELINO.—¿A un árbol? ¿Por qué?
PILI.—¡Como le hemos visto que ha salido al jardín…!
MARCELINO.—He salido para encerrar el coche.
PILI.—¡Ah!
MARCELINO.—Como no había nada preparado y la cena todavía tardará, podemos antes dar una vuelta por ahí… Si quieren ustedes terminar de arreglarse…
MARIBEL.—Sí, hija, Niní. Ponte ya un vestidito.
NINÍ.—¡Ay, es verdad! Que se me había olvidado…

(Y hace mutis por el foro).

MARIBEL.—Vosotras también os podéis marchar.
PILI.—Bueno, sí. Pues hasta ahora.

(Y hace mutis).

RUFI.—Bueno. Pues hasta ahora mismito.

(Y también hace mutis, dejando la puerta abierta, que MARCELINO *cierra).*

MARCELINO.—¿Por qué están tus amigas tan asustadas?
MARIBEL.—No sé. Por lo visto esta casa las impresiona un poco.
MARCELINO.—Sí. Indudablemente no es muy alegre. Pero de todos modos me molesta que estén así conmigo, como si les fuera a hacer algo malo… Si he de serte franco, no me gusta que tengas esta clase de amigas.
MARIBEL.—¿Por qué?
MARCELINO.—No sé. Perdóname, pero no me parecen unas chicas demasiado serias.
MARIBEL.—¿Las encuentras diferentes a mí?

MARCELINO.—¿Cómo puedes preguntar eso? Tú eres otra cosa.
MARIBEL.—Entonces... ¿soy distinta? ¿Parezco distinta?
MARCELINO.—Tú pareces un ángel, Maribel. Y lo eres. ¿Qué dices tú?
MARIBEL.—Que ahora pienso que sí, que lo soy. Pero es porque tú me lo dices. Y cuantas más veces me lo digas, más me lo creeré. Y llegaré a serlo.
MARCELINO.—*(Con tono de contar un cuento).* Había en este pueblo una mujer muy fea, muy fea, y el marido la quería mucho y la encontraba guapa. Y se lo decía siempre. «Eres muy guapa, eres muy guapa». Y ella se lo creyó y lo llegó a ser. Y se convirtió en una mujer bella, que todos admiraban.
MARIBEL.—*(Ingenuamente interesada).* ¿Y qué pasó?
MARCELINO.—Que entonces le engañó con otro.
MARIBEL.—*(Con desilusión).* ¡No!
MARCELINO.—*(Se ríe).* ¡Era una broma! Pasó que fueron muy felices... Porque ya sabes que uno no es como piensa que es, sino como le ven los demás.
MARIBEL.—Según eso...

(MARCELINO, *que estaba sentado junto a ella, se levanta, tratando de cambiar de conversación).*

MARCELINO.—¿Te gusta la casa?
MARIBEL.—*(Desconcertada).* Sí. Mucho...
MARCELINO.—Ahora, de noche, resulta un poco triste. Pero mañana nos levantaremos temprano, y ya verás qué sol y qué alegría... ¿Y esta habitación, qué te parece?
MARIBEL.—Muy hermosa.
MARCELINO.—Al principio fue de mis padres. Después, al morir papá, fue solo de mi madre. Y más tarde, cuando me casé, la ocupamos Susana y yo. Pero cuando Susana se ahogó en el lago, me

volví a la pequeña habitación de soltero que tenía antes y que está al final del pasillo. Y en este cuarto ya nunca entró nadie. Pero ahora la volveremos a ocupar nosotros cuando nos casemos.

MARIBEL.—*(Con miedo y tristeza).* ¿Hasta que yo me ahogue?

MARCELINO.—*(Asombrado).* ¿Y por qué te vas a ahogar? ¿Por qué dices eso?

MARIBEL.—No sé... Lo he pensado de pronto.

MARCELINO.—Pues no debes pensarlo, Maribel. Ni debes volver a repetirlo...

(Se abre la puerta del foro y entra RUFI).

RUFI.—¿Se puede? Maribel, nena, perdona, hija... Venía a ver si tenías un poco de polvos de la cara, porque con el aire que entraba por la ventanilla del coche se me ha pelado un poco la punta de la nariz.

MARIBEL.—Sí, creo que los tengo aquí en la maleta.

(Y pasa a la alcoba y busca en la maleta. MARCELINO *se ha levantado del sofá, un poco molesto por la llegada de* RUFI, *y va hacia la ventana.* RUFI *aprovecha para hablar en voz baja con* MARIBEL).

RUFI.—¿Te está haciendo algo malo?

MARIBEL.—No.

RUFI.—Si te lo hace, grita.

MARIBEL.—Sí...

(Y RUFI *habla ya en voz alta).*

RUFI.—Hija, siempre llevas de todo. Cuidado que eres ordenadita, hay que ver... Desde luego vas a hacer una esposa modelo. Y aquí don Marcelino también, porque es muy majo.

MARCELINO.—Gracias.

RUFI.—No las merece.

MARIBEL.—Aquí tienes los polvos.

RUFI.—Bueno, gracias. Si necesito algo más ya vendré a pedírtelo.

MARIBEL.—Como quieras.

RUFI.—Bueno. Pues voy a ver si me arreglo y me pongo un poquito decente. En lo que cabe, ¿eh? Hasta lueguito.

MARCELINO.—Adiós, muy buenas. (RUFI *hace mutis y deja la puerta abierta.* MARCELINO *la cierra).* ¿Sabes que tu amiga está un poco pesada?

MARIBEL.—No debes hacerle caso. Es su carácter.

MARCELINO.—¿Qué es lo que creen? ¿Que quiero aprovecharme de ti?

MARIBEL.—No. No es eso…

MARCELINO.—Entonces, ¿qué? ¿Que te quiero matar, tal vez?

MARIBEL.—*(Y va, suplicante, junto a él).* Y tú no quieres matarme, ¿verdad?

MARCELINO.—¿Pero cómo puedes decir eso? ¿Y cómo pueden pensarlo siquiera tus amigas? Ahora comprendo por qué insistieron tanto en venir… Si vieras lo que me duele todo esto, Maribel… Y si vieras lo que me preocupa… Si mamá llegara a enterarse…

MARIBEL.—¿Qué tiene que ver tu madre con esto?

MARCELINO.—Es muy desagradable que piensen mal de mí.

MARIBEL.—Pero tienes que disculparlas. Son mis amigas y me quieren. ¡Y se han llevado tantos chascos en su vida y tantos desengaños, que desconfían de todo el mundo! Yo, en cambio, no. Creo en la gente. Y creo en mí. En mi suerte. No es que nunca haya tenido mucha, pero me basta con la que tengo… Y también creo en ti… Aunque a veces… Dime una cosa. ¿Cómo era Susana?

MARCELINO.—Una señorita de aquí, de este mismo pueblo... Muy buena.
MARIBEL.—¿Guapa?
MARCELINO.—Sí.
MARIBEL.—¿La querías?
MARCELINO.—Mucho.
MARIBEL.—¿Cómo se ahogó?

(Se abre la puerta y aparece NINÍ).

NINÍ.—Perdonar que os interrumpa. Pero como me ha dicho Rufi que en la maleta tienes de todo, venía a ver si me dabas una aspirina, unas tijeras y Nescafé.
MARIBEL.—De eso no tengo nada, ¿sabes? Y si después que tú va a venir Pili, dile que no se tome la molestia.
NINÍ.—No, Pili se está arreglando. Como aquí, el señor, nos ha dicho que vamos a dar una vuelta antes de cenar, se está poniendo guapa por si acaso.
MARIBEL.—¿Por si acaso, qué?
NINÍ.—No sé. Ella, siempre que se arregla, dice que por si acaso... Bueno, hasta después.

(Y hace mutis).

MARIBEL.—Debes perdonarlas.
MARCELINO.—Sí, Maribel.
MARIBEL.—Y seguir contándome...
MARCELINO.—¿No te importa que eche el pestillo de la puerta?
MARIBEL.—No.
MARCELINO.—Así no nos molestarán.

(Y echa el pestillo).

MARIBEL.—Sí. Es mejor.
MARCELINO.—¿Qué querías saber?
MARIBEL.—Todo. Lo de Susana. Lo del lago. Lo de la cotorra.
MARCELINO.—¿Qué es lo de la cotorra?
MARIBEL.—¿Por qué se llama Susana como tu mujer?
MARCELINO.—Porque la cotorra era de Susana, que quería mucho a mi tía Paula. Y un día se la regaló y le dijo: «Te la regalo con la condición de que la llames Susana, como me llamo yo, para que así siempre te acuerdes de mí». Y mi tía Paula la llamó Susana. ¿Tiene esto algo de particular?
MARIBEL.—No, claro; pero...
MARCELINO.—Hay barcos de pesca que se llaman «Margarita», «Nieves», «Rosalía», igual que las mujeres o las hijas de los pescadores. Mi tía no tiene barcas y solo tiene una cotorra. Y la quiere. Y lleva el nombre de una persona a la que quería.
MARIBEL.—Yo pensé que le puso ese nombre por todo lo contrario. Por venganza... Porque aborrecía a tu mujer.
MARCELINO.—¡Pobre tía Paula! Aborrecer ella a Susana... ¡Y Susana ser aborrecida!... ¿Por qué ese afán de pensar mal de todo? ¿De querer descubrir, aun en lo más sencillo y simple, un pecado...? ¿Tú no comprendes entonces que en el mundo pueda haber gente buena?
MARIBEL.—Sí. Pero es raro, ¿no?
MARCELINO.—¿Y gente inocente?
MARIBEL.—Sí. Puede ser.
MARCELINO.—¿Y gente sencilla, sin malicia, que va de buena fe?
MARIBEL.—Yo creo que sí. Lo he pensado siempre... Pero después vienen las amigas y te empiezan a decir cosas, y te lo chafan todo... Y la poca ilusión que a una le queda, se le va para siempre.
MARCELINO.—¿Tú sabes por qué mi tía Paula alquila visitas para distraerse y poder hablar?

MARIBEL.—No. No sé.

MARCELINO.—Porque las amigas que tenía dejaron de ir a visitarla.

MARIBEL.—¿Porque las desilusionaba, a lo mejor?

MARCELINO.—Al contrario. Porque a cada amiga que iba le daba veinte duros.

MARIBEL.—Bueno, hijo, es que eso no es normal.

MARCELINO.—Las amigas de mi tía eran gentes del barrio, modestas, que tenían apuros, enfermedades y desgracias. Que se quejaban siempre de lo cara que está la vida. Entonces, la tía Paula se conmovía, se echaba a llorar, y disimuladamente, cuando las amigas se marchaban, les metía veinte duros en el bolsillo. Este dinero a unas las humillaba, y a otras les parecía poco. Y terminaron por decir que estaba loca. Y mi tía se quedó sola con sus pájaros en el mirador; y para que fuese alguien tuvo que poner anuncios en los periódicos y darles un sueldo. Y lo que por bondad no se admitía, se admite y se comprende ahora como gratificación.

MARIBEL.—Es buena la tía Paula, ¿verdad?

MARCELINO.—¿Buena? Mira, nunca quiere decirlo y a veces se burla de ella misma para disimular, y hasta inventa pretextos ridículos... Pero si no sale a la calle hace tantos años, es porque se lo prometió a su marido, al que adoraba, cuando este murió. Y lo ha cumplido.

MARIBEL.—*(Emocionada).* Vas a hacerme llorar.

MARCELINO.—No te importe. Eso es bueno.

MARIBEL.—Y tu mujer, Susana ¿cómo se ahogó?

MARCELINO.—¡Porque la pobre estaba tan gorda!...

MARIBEL.—¿Qué tiene eso que ver?

MARCELINO.—Ese fue uno de los motivos. Sin que ninguno de nosotros lo supiéramos, Susana decidió aprender a nadar en el lago, como lo hacen las chicas modernas en las piscinas. Y una tarde se fue sola al lago, se metió en el agua y se ahogó.

El lago es peligroso, ¿sabes? En el pueblo lo llaman «El lago de las niñas malas», para que las niñas no vayan a él. Y ella fue. No tenía agilidad. Pesaba mucho... Y ocurrió la desgracia... Pero yo sé muy bien que todo lo hizo por mí.

MARIBEL.—¿Por ti? No comprendo.

MARCELINO.—Yo soy una persona ridícula, Maribel. No he tenido amigos ni apenas he salido de casa. Tuve fracasos en mis pequeñas aventuras amorosas. Me casé muy joven, y Susana era como yo, como mi madre, como mi tía. Una provinciana, una paletita sin malicia. Mi tía, desde Madrid, nos animaba: «Salir, viajar, distraeros, cambiar de ambiente... No podéis estar ahí siempre metidos...». Mamá y Susana, equivocadamente, creían que yo me aburría aquí con ellas, y también me animaban. Y entre las dos decidieron que hiciésemos un viaje al mar, que nunca habíamos visto... «Nos bañaremos juntos, en la playa; nos broncearemos al sol; tenemos que acostumbrarnos a la vida moderna», dijo un día Susana. Y en su primer intento de meterse en el agua, se ahogó la pobrecita. Yo quedé destrozado. Esta casa aún nos pareció más triste de lo que era. Decidieron que yo me debía volver a casar con una chica de Madrid, moderna, alegre, que me distrajera y me hiciera cambiar un poco de vida. Yo también creí esto necesario. Por mí y por ellas. Y sabiendo mi cortedad trataron de ayudarme, y mi tía compró música de jazz, que le horroriza, y aprendió a hacer gin-fizz para estar a la moda. Y yo me eché a la calle para buscar novia, temiendo que nadie me hiciera caso. Que las chicas se aburrirían conmigo. Y entré en un bar y te vi a ti. Y tú me sonreíste. Y ya no busqué más. Eras tú la novia que buscaba. (MARIBEL *está callada. Pensativa. Emocionada).* ¿Qué te pasa?

MARIBEL.—¿Y si yo te dijera que no soy la novia que mereces?

MARCELINO.—¿Por qué?

MARIBEL.—No sabes nada de mí.

MARCELINO.—Según tus papeles, te llamas María Isabel González, hija de Ambrosio y de Guadalupe, mayor de edad, natural de Lanzarote, avecindada en Madrid, en una pensión de la calle del Pez, y de profesión costurera. ¿No es suficiente?
MARIBEL.—No.
MARCELINO.—¿Por qué?
MARIBEL.—Porque si voy a casarme contigo y vamos a vivir aquí los dos juntos con tu madre, o con tu tía en Madrid, es necesario que sepas más cosas. Que lo sepas todo. Y no solo de mí, sino de mi manera de vivir, de mi ambiente, de mis amigas…
MARCELINO.—Ya sé que Rufi tiene un niño muy mono y está casada con un ingeniero. Y que Niní, en latín, ha sacado sobresaliente.
MARIBEL.—¿Y tú lo crees?
MARCELINO.—¿Por qué no voy a creerlo? ¿Por qué no creer tampoco que tú eres costurera?
MARIBEL.—Lo fui al principio, pero después…
MARCELINO.—Después, un día, entraste en un bar y me conociste a mí. Y esa es toda tu historia. ¿No es verdad, Maribel?
MARIBEL.—*(Nerviosa, acongojada).* Tú no quieres que yo te cuente nada, ¿verdad? ¡Tratas de evitarlo! ¿Por qué?
MARCELINO.—Hemos venido aquí para que descanses y se calmen tus nervios… ¿Vamos a volver a empezar de nuevo?
MARIBEL.—Pero Marcelino… ¡Escucha lo que voy a decirte!

(En la puerta del foro se oyen unos golpes que dan con la mano y la voz de RUFI *que grita).*

RUFI.—¡Maribel!
MARIBEL.—¡Déjame en paz!
RUFI.—¡Maribel, abre!
MARIBEL.—¡Esperar un poco!

RUFI.—¡Abre, Maribel!

MARIBEL.—¡No me da la gana de abrir!

MARCELINO.—¡Pero Maribel!...

RUFI.—¡Si no es que tengamos miedo de don Marcelino! ¡Es que lo están llamando al teléfono!

MARCELINO.—¡Ah! ¡Déjame que abra! Debe ser algún asunto de la fábrica.

(Y abre la puerta y entra RUFI, *ya arreglada del todo. Se muestra dócil y seriecita y mira a* MARCELINO *con cierta admiración y simpatía).*

RUFI.—Hola, don Marcelino.

MARCELINO.—Hola, Rufi.

RUFI.—Estábamos en la cocina con la cocinera y le llamaron al teléfono de la conserjería. Entonces yo subí a avisarle.

MARCELINO.—Gracias.

RUFI.—De nada.

MARCELINO.—Vuelvo enseguida, Maribel...

(Y hace mutis. MARIBEL *está sentada en el sillón, pensativa y contrariada por la interrupción.* RUFI *también se sienta en el sofá).*

RUFI.—Hola, Maribel.

MARIBEL.—Hola.

RUFI.—Y perdona.

MARIBEL.—Sí.

(Entra PILI, *también arreglada, y lo mismo que* RUFI, *sumisa y con un aire bondadoso. Se sienta junto a* RUFI).

PILI.—Hola, Maribel.
MARIBEL.—Hola.

(Y ahora entra NINÍ, *igual. Se sienta junto a* PILI).

NINÍ.—Hola, Maribel.
MARIBEL.—*(Extrañada por el tono de las amigas).* ¿A qué viene tanto hola, me queréis explicar?
NINÍ.—No. A nada. Perdona.
MARIBEL.—*(Al verlas tan seriecitas).* ¿Pero qué os pasa? ¿Sucede algo?
PILI.—No. A nosotras, nada.
RUFI.—¿Y a ti?
MARIBEL.—A mí me sucede que he hablado con Marcelino y que ahora estoy segura de que es bueno y de que me quiere de verdad y de que yo también le quiero a él. Pero de lo que no estoy segura, en cambio, es de si sabe quién soy yo o no lo sabe. Porque cuando intento decírselo se escabulle y cambia de conversación... Pero lo sepa o no lo sepa, yo tengo que decírselo; yo misma. Y él lo tiene que oír.
RUFI.—No debes darle un disgusto así a una persona tan buenísima.
PILI.—Y no solo por él, sino por su pobrecita mamá.
NINÍ.—Y por su tiíta.
MARIBEL.—¿Por qué pensáis ahora de ese modo? ¿No me decíais antes que eran una partida de locos?
RUFI.—Es que nos hemos ido a la cocina para sonsacar[24] a la cocinera y nos lo ha contado todo...

---

[24] *sonsacar:* procurar con maña que uno diga lo que sabe y se reserva.

PILI.—Y es que para enterarse de lo que pasa en el seno de una familia, no hay nada como la cocina.

NINÍ.—Y nos lo ha contado todo tan bien, que yo estoy «emocioná».

MARIBEL.—¿Qué os ha dicho? ¿Lo del lago, lo de Susana?...

RUFI.—Todo. Empezó el relato desde que Marcelino tenía cuatro años.

PILI.—Y como habla tan de prisa, le ha cundido mucho y hemos llegado a la época actual.

NINÍ.—¡Pero qué gente más buenísima, joroba!

PILI.—¡Mira que lo de la puerta!

MARIBEL.—¿Qué puerta?

PILI.—Esta puerta secreta que nos dio tanto miedo cuando apareció tu Marcelino.

RUFI.—¿Sabes quién la hizo?

MARIBEL.—¿Quién?

RUFI.—Doña Matilde. Entre ella, un albañil y un carpintero la hicieron en un día.

PILI.—Pero ella fue quien puso las bisagras...

NINÍ.—Y el pestillo.

MARIBEL.—¿Por qué?

RUFI.—Pues porque el pobre de su marido se acatarraba a cada momento. Y como para ir a la fábrica tenía que salir de la casa y dar la vuelta por el jardín, un día de esos de crudo invierno ella decidió hacer una puerta de comunicación para que no se acatarrase. Y como el carpintero se le puso malo en plena faena, ella terminó de rematarla.

PILI.—Tú dile a una esposa de las de ahora que te haga una puerta con sus bisagras y su pestillo, y el suceso sale en los periódicos.

NINÍ.—Y no es eso lo peor. Es que si te la hace, después no encaja bien.

MARIBEL.—¿Y qué más os ha dicho?

PILI.—Las obras de caridad que están haciendo constantemente. Pero en el mayor anonimato... Así, como a lo tonto.
RUFI.—Y que la mitad del chocolate se lo regalan a los pobres.
NINÍ.—Y que todos están deseando que te vengas a vivir aquí. Los guardeses también.
RUFI.—Y a nosotras nos ha dicho que vengamos de visita de vez en cuando, porque somos muy simpáticas y muy dicharacheras...
PILI.—Y también creen que somos chicas modernistas, que hemos venido de *week-end,* y están encantadas, porque dicen que a esta casa lo que le hace falta es mucho *week-end.*
MARIBEL.—¿Y vosotras os creéis que podemos seguirlos engañando?
RUFI.—*(Conmovida).* Sí, claro. Por un lado está feo. Da así como vergüenza...
NINÍ.—Pero tú has dicho que no estás segura de si él lo sabe o no. Y si no te pregunta nada, a lo mejor es que es tan bueno que las cosas pasadas no le importan...
PILI.—Que, al fin y al cabo, es como debían ser todos los hombres, y no andar fisgando en cosas que se las llevó el viento, y de las que una ni se acuerda...
MARIBEL.—¿Pero y la familia? Engañarlas a ellas...
NINÍ.—*(Que está cerca de la puerta).* Callar. Me parece que sube las escaleras.
RUFI.—¿Muy despacito?
NINÍ.—No, no. Deprisa.

(Y entra MARCELINO, *un poco serio, deprimido).*

MARCELINO.—Perdona, Maribel. Y ustedes también, señoritas... Tengo que salir.
MARIBEL.—¿Salir? ¿Adónde?

MARCELINO.—Voy a ir hasta la entrada del pueblo.

MARIBEL.—¿Pero qué ocurre?

MARCELINO.—Me acaba de llamar desde Madrid el administrador de la tía Paula.

RUFI.—¿Pepe?

MARCELINO.—¿Conoce usted a don José?

RUFI.—Bueno, conocerle, no. Pero me habían dicho...

MARIBEL.—*(Interrumpiendo).* ¡Calla! ¿Y para qué te ha llamado?

MARCELINO.—Para decirme que mi madre y mi tía han tomado un taxi y vienen aquí.

MARIBEL.—¿Que vienen aquí? ¿A esta casa?

MARCELINO.—Sí.

MARIBEL.—Es muy raro, ¿verdad?

MARCELINO.—Sí. Y además no me ha dado más explicaciones. Dice que le encargaron que me telefonease enseguida, para que estuviese prevenido; pero que le han tardado mucho en dar la conferencia. Y ya deben estar llegando, porque, según él, salieron de Madrid hace unas dos horas... Lo que más me extraña es que también venga tía Paula. Cincuenta años sin salir de su casa, y ahora atreverse a tomar un taxi para venir aquí... ¿Qué puede haber pasado para que se lancen de repente a hacer este viaje? Esperaremos que vengan ellas para cenar, ¿no les parece? *(Las chicas están taciturnas y no hablan).* Por cierto, Maribel, que cuando vean a tus amigas se van a llevar una sorpresa. Como creían que veníamos solos y fue a última hora cuando decidieron acompañarte... Voy a ir a la entrada del pueblo para esperarlas... Vosotras, mientras tanto, podéis dar una vuelta por el jardín, o por donde quieran... No tengo que volver a repetiros que estáis en vuestra casa... Me perdonan, ¿verdad?

(Y hace mutis. Todas siguen sin hablar, taciturnas y mirando al suelo. Al fin habla RUFI*).*

RUFI.—¡Pepe lo contó todo!

PILI.—¡El miserable!

NINÍ.—¡Y ahora vendrán aquí a armar la gorda!

RUFI.—¡Y pensar que yo he tenido la culpa! ¿Por qué se me ocurrió llamarle cuando entró en aquel despacho? ¡Con lo feo que es el condenado, además!

PILI.—¿Qué piensas tú, Maribel?

MARIBEL.—Que sí. Que tenéis razón. Y que solo puede ser eso. Que el administrador les ha dicho quiénes sois vosotras y, sobre todo, quién soy yo. Y vienen a echarme a la calle.

RUFI.—¡Pues fíjate cuando nos vean aquí contigo!...

PILI.—¡Hace falta tener poca vergüenza para irles con un chisme así! ¡Y después dicen que no piense una mal de la gente! ¡Pero si por un hombre bueno que hay, a los demás había que degollarlos!

RUFI.—¡Pero cuando yo me lo encuentre! ¡La bofetada que le voy a pegar!...

PILI.—Ahora que a mí no me echan. Yo me voy, Maribel. ¿No te parece?

MARIBEL.—Sí. Creo que es lo mejor.

NINÍ.—Y yo también.

RUFI.—Pero este pueblo está muy lejos. ¿Adónde nos vamos a ir?

NINÍ.—Podemos aprovechar el mismo taxi en que vienen ellas.

PILI.—O si no, haciendo el «auto-stop». La cuestión es largarse. Porque, en el fondo, tendrán razón en todo lo que nos digan y en ponernos la cara colorada.

NINÍ.—*(Conmovida).* ¿Tú qué vas a hacer, Maribel?

MARIBEL.—Todavía no lo tengo decidido.

PILI.—Mientras lo decides, yo voy a preparar mis cosas.

NINÍ.—Y yo las mías.

RUFI.—Recoger lo mío también, que voy enseguida.

(*Y* PILI *y* NINÍ *hacen mutis).*

MARIBEL.—No sé qué hacer, Rufi. Si escapar también con vosotras o afrontarlo todo. ¿Qué me aconsejas tú?

RUFI.—Es tan difícil aconsejar una cosa así... Desde luego, tu situación no es muy agradable que digamos... Claro que también depende de en el plan que vengan. Porque si son tan buenas como dicen, a lo mejor te lo largan todo con suavidad y buenos modales... ¡Pero si se ponen farrucas!

MARIBEL.—¿Y si nos equivocamos de nuevo, como nos pasó con Marcelino? Porque también antes pensabais mal de él, igual que ahora pensamos mal de ellas y del administrador. Y puede ser que don José no les haya dicho nada, y que ellas vengan aquí a otra cosa distinta. Marcelino me ha dicho que no debemos pensar mal de la gente. Pero lo que pasa es que tenemos miedo, porque no tenemos la conciencia tranquila. ¡Y yo no quisiera ser así!

RUFI.—Si tú quieres quedarte, puedes hacerlo, Maribel. Pero yo, desde luego, me marcho. Porque si el mismo Marcelino está extrañado de que su madre y su tía hayan tomado un taxi de repente para plantarse aquí, no sé cómo no vamos a extrañarnos nosotras, tengamos la conciencia como la tengamos.

MARIBEL.—Tienes razón, Rufi. Voy a guardar mis cosas. Anda, ayúdame...

(MARIBEL *y* RUFI *guardan algunas prendas en la maletita de* MARIBEL, *mientras siguen hablando).*

RUFI.—Yo comprendo que para ti, la papeleta se las trae. Y que ahora te duela más que nunca romper con todo esto... Figúrate; si no es a mí, y me da pena... Pero hija, cuando una es como es, tiene que romper con tantas cosas...

MARIBEL.—Sí, Rufi. Es verdad.
RUFI.—*(Por lo que han guardado).* ¿No te olvidas de nada?
MARIBEL.—No. Ya está todo.
RUFI.—Pues vamos a cerrar.
MARIBEL.—Pero puede ser que después vaya a buscarme al bar donde me encontró, ¿no te parece?... Aunque sea en otro plan, claro.
RUFI.—Pues sí. A lo mejor va. Él parece quererte.
MARIBEL.—Y yo podré tener con él una explicación. Y contarle todo...
RUFI.—Desde luego.

(Entra PILI, *seguida de* NINÍ. *Llevan su pequeño equipaje y el de* RUFI).

PILI.—Ha llegado ya el taxi al jardín. Y van a entrar... Toma lo tuyo, Rufi.
RUFI.—¿Cómo salimos, entonces?
NINÍ.—Si vamos por ahí, nos encontraremos con ellos.
PILI.—¿Y por qué no salimos por esa puerta? Da a la fábrica. Y la fábrica tiene otra puerta que da al jardín... Y antes estaba abierta.
NINÍ.—¡Ya se les oye abajo!
PILI.—*(Va a la puerta secreta y la abre).* Vamos, seguidme.
NINÍ.—Sí, vamos.

(Y hace mutis detrás de PILI. MARIBEL, *con su maletita en la mano, está indecisa).*

RUFI.—*(Desde la puerta).* ¿Te decides o no, Maribel?
MARIBEL.—Sí. Es mejor. Vamos...

(RUFI *la deja pasar primero. Después sale ella y cierra la puerta. Inmediatamente se oye la voz de* MARCELINO *por el foro).*

MARCELINO.—¡Maribel! ¡Maribel! *(Y entra* MARCELINO. *Al no verla se dirige a la alcoba).* ¿Pero dónde estás, Maribel?

(Y entra DOÑA MATILDE *por la puerta del foro. Va con sombrero).*

DOÑA MATILDE.—¿Es que se ha perdido?
MARCELINO.—¡La dejé aquí!

(Y entra DOÑA PAULA, *también con sombrero).*

DOÑA PAULA.—A ver si se ha ido al otro cuarto que le has dado a sus amiguitas...
MARCELINO.—Seguramente. Voy a ver...

(Y hace mutis).

DOÑA MATILDE.—¿Qué te parece la casa, Paula?
DOÑA PAULA.—Lo que he visto es muy hermoso. Yo pensé que iba a ser como más tristona... Pero no. Me gusta bastante. Y el jardín es mucho más grande que mi mirador de la calle de Hortaleza.
DOÑA MATILDE.—¿Y no te has mareado en el viaje?
DOÑA PAULA.—Qué va. Ni mucho menos. Lo he pasado divinamente. Ahora, que si llegamos a saber que las amigas de Maribel la habían acompañado, nos podíamos haber ahorrado tanto traqueteo...

DOÑA MATILDE.—De todos modos hemos hecho muy bien en tomar esta determinación...

(Entra MARCELINO *preocupado).*

MARCELINO.—Se han ido, mamá.
DOÑA MATILDE.—¿Cómo que se han ido?
MARCELINO.—Sí. Y se han llevado su equipaje. Y ahora que me fijo, tampoco está aquí la maleta de Maribel...
DOÑA PAULA.—¿Pero cómo es posible que se hayan marchado?
MARCELINO.—No puedo comprenderlo.
DOÑA MATILDE.—¡Pero debes buscarlas, Marcelino! No pueden haber ido muy lejos. En algún sitio tendrán que estar...
MARCELINO.—Sí. Es posible que hayan ido hasta el pueblo a dar un paseo... Pero lo del equipaje es lo que no entiendo.
DOÑA PAULA.—No te preocupes. Lo habrán metido debajo de la cama. Anda. Vete a buscarlas.
MARCELINO.—Sí. Voy a ver si las encuentro.

(Y hace mutis, sin demasiada alegría. DOÑA MATILDE *y* DOÑA PAULA *quedan tristes).*

DOÑA MATILDE.—Tengo miedo, Paula.
DOÑA PAULA.—Y yo también, Matilde.
DOÑA MATILDE.—Ya me temía yo que todo esto le pareciese triste. El pueblo, la casa, la fábrica... Y hasta mi hijo, Paula.
DOÑA PAULA.—¡Pero si Marcelino está cambiado desde que la conoce! ¿De cuándo acá, hace dos meses, se hubiera atrevido a venir de excursión con una chica...? ¡Pero si está hecho un calavera!
DOÑA MATILDE.—Y, sin embargo, Maribel se ha marchado. Habrá comprendido que este no es el ambiente apropiado para

una muchacha joven y moderna, acostumbrada a otra clase de vida.

DOÑA PAULA.—Yo estoy segura de que no se ha ido, Matilde. ¿Por qué ese afán de pensar mal? Conozco bien a Maribel y la considero incapaz de cometer una grosería semejante.

DOÑA MATILDE.—Eso mismo pensaba yo de ella, pero ahora... *(Se abre la puerta secreta y aparece* MARIBEL *con su maletita).* ¡Hija, Maribel!

DOÑA PAULA.—¡Caray! ¿Pero por dónde sale?

DOÑA MATILDE.—Es una puerta que da a la fábrica.

DOÑA PAULA.—Pues por poco me asusto.

DOÑA MATILDE.—¿Pero cómo entras por ahí?

MARIBEL.—Vengo a pedirles que me perdonen.

DOÑA MATILDE.—¿Por qué? Marcelino te ha ido a buscar. Creyó que habías ido hacia el pueblo.

MARIBEL.—He ido a acompañar a mis amigas, que se han marchado...

DOÑA MATILDE.—¿Adónde?

MARIBEL.—Cuando se enteraron de que venían ustedes, les dio un poco de apuro estar aquí... Yo también iba a irme. Pero después pensé que era mejor que si ustedes me tenían que decir algo, me lo dijeran.

DOÑA MATILDE.—Pues claro que te lo tenemos que decir. Que en este pueblo hay mucho cotilleo.

DOÑA PAULA.—Y que las costumbres modernas están bien en Madrid, pero que aquí no valen. Y que por eso hemos venido.

MARIBEL.—No entiendo.

DOÑA PAULA.—¡Pobrecilla! ¡Pero qué inocentona!

DOÑA MATILDE.—Pues porque al principio creíamos que eso de que te vinieras aquí sola con Marcelino era muy normal y muy moderno y todo lo que quieras. Pero después nos quedamos las dos solas y nos pusimos a meditarlo.

DOÑA PAULA.—Y pensamos que no está bien que una muchacha decente venga sola a casa de su prometido. No porque no nos fiemos de vosotros, claro; sino porque en el pueblo podían empezar a chismorrear. Y no nos da la gana que de ti chismorree nadie, Maribel.

DOÑA MATILDE.—Y entonces decidimos que lo mejor era que viniésemos nosotras para acompañaros... Y animé a Paula para que se viniese conmigo. Y aquí estamos las dos tan contentas... ¿Qué te pasa?

MARIBEL.—*(Emocionada).* No, no, nada.

(Entra MARCELINO. *Va hacia* MARIBEL. *La abraza).*

MARCELINO.—¡Maribel!

MARIBEL.—Perdóname... Me iba a ir con mis amigas, por si a tu madre no le gustaba que estuviésemos aquí tanta gente...

MARCELINO.—Las acabo de despedir. Han tomado el taxi en que vino mamá. No he podido convencerlas para que se queden...

DOÑA MATILDE.—Ya vendrán otro día, no preocuparos... ¿Quieres que te enseñe la casa, Paula?

DOÑA PAULA.—Sí, hija, enséñamelo todo. Y a ver si cenamos pronto, porque a mí el aire ese de la carretera me ha abierto mucho el apetito.

DOÑA MATILDE.—Pasa, pasa por aquí...

(Y las dos hacen mutis por el foro).

MARCELINO.—¿Por qué tenías miedo?

MARIBEL.—No. No tenía miedo...

MARCELINO.—Sí.

MARIBEL.—Lo tuve un momento, ¿sabes? Pero de pronto comprendí que no había motivo. Que no he hecho daño a nadie. Que no tengo nada que temer.

MARCELINO.—Tú antes ibas a hablarme de tu vida, y yo no quiero saber nada, Maribel.

MARIBEL.—*(Alegre, convencida de lo que dice).* ¿Pero por qué, si es toda tan vulgar? Yo era costurera en casa de una modista que se llama Remedios, ¿sabes?... Y yo vivía en casa de Rufi, con su marido y con su hijo. Y con Niní, que tenía una habitación alquilada y estudiaba en la Universidad. Y yo trabajaba mucho. ¡Venga a coser! ¡Venga a coser!.. Y un día, una amiga me invitó a un bar a tomar cerveza. Y entré en ese bar por primera vez y te encontré a ti. Y eso es todo, ¿comprendes? *(Y abraza, emocionada, a* MARCELINO). Y yo sé que todo esto es verdad. Que ni te miento a ti, ni me miento a mí misma. Que ha sucedido, ¿sabes? ¡Y por eso no tengo ya miedo!

(MARIBEL *llora en los brazos de* MARCELINO. Y *mientras tanto, va cayendo el*

TELÓN).

DESPUÉS DE LA LECTURA

Comedia y humor

Lee el siguiente texto:

«...la estructura central de una obra de teatro se podría resumir así: dos fuerzas (dos personajes) se encuentran por un incidente, y se origina un conflicto que desencadena una incertidumbre en los personajes —y en el espectador— sobre cómo se va a desarrollar su vida escénica de ahí en adelante. La peculiaridad de la comedia —y su vía principal— es que ese incidente tiene que ser, por un lado, lo suficientemente importante para que nos interese, pero, por otro, el conflicto que origine ha de poder desarrollarse con un estudiado equilibrio de los elementos en pugna (las dificultades que tienen los personajes para alcanzar sus metas), y el optimismo y la vitalidad que preside el género. Los personajes han de luchar por conseguir sus fines con intensidad, fuerza y deseo, pero sin dramatismo ni tragedia... Las armas básicas que el autor tiene, para compensar esta falta de «dramatismo», son el regocijo y la diversión. A partir de ellas se establece una corriente comunicativa con el espectador que va a permitir al escritor hacer con él un discurso más o menos oculto acerca de sus verdaderas intenciones que, paradójicamente, aunque se realicen a través de la alegría, tiene siempre que ver con el sufrimiento... Toma la comedia las dificultades de la vida y la fragilidad humana como punto de partida, y trata de superarlas después...»

José Luis Alonso de Santos, *La escritura dramática*, Madrid, Castalia, 1998, págs. 459-460.

Observa en *Maribel y la extraña familia* los siguientes aspectos citados como elementos clave en una comedia según el autor teatral y ensayista José Luis Alonso de Santos. Te servirán para comprender la estructura de la comedia. Piensa en: las dos fuerzas, el incidente, conflicto originado, el interés del conflicto, los elementos emocionales, las formas y causas de la diversión —humor— que impiden que la comedia no se convierta en tragedia: según Aristóteles «la comedia es la sátira de los aspectos risibles, pero que no causan dolor». Explica su elección.

Amor y matrimonio

1. Observa si están presentes en *Maribel y la extraña familia* estados, aspectos y situaciones que suelen acompañar al concepto de «amor romántico» (como guía se propone la lectura de apoyo *Por qué amamos*, de H. Fisher, Madrid, Taurus, 2004). Busca las frases que más se ajusten a los siguientes enunciados, cuyos elementos esenciales han sido entrecomillados:

— Cuando un hombre y una mujer se enamoran, una de las primeras cosas que sucede es que el objeto del amor cobra «un significado especial»; es decir, la persona amada se convierte en algo nuevo, único y, sobre todo, en lo más importante del mundo para el enamorado.
— La persona que ama «centra toda su atención» en la persona amada hasta el punto que ni familia, ni trabajo, ni amigos tienen importancia, pasando a tener la consideración de secundarios.
— Las personas enamoradas tienden a «engrandecer» a quien aman, a magnificarla en todo.
— Las personas enamoradas no pueden «quitarse de la cabeza» a la persona amada.
— Las personas enamoradas «cambian» su manera de vestir, sus costumbres y, a veces, hasta su forma de entender y valorar la vida.
— Las personas enamoradas se vuelven «dependientes» del ser que aman.
— La «adversidad» en el amor «intensifica la pasión».

2. Lee con atención el texto siguiente. Observa en él cómo debía ser y cómo debía comportarse una mujer en busca de matrimonio y las exigencias que debía cumplir antes de que su futuro marido la aceptase.

«La mujer se ofrecía: su cuerpo era el cebo para atraer al posible marido, pero, al propio tiempo, se negaba porque sólo si se conservaba pura conseguiría retenerlo: en esa suprema contradicción está la última razón de la coquetería, del sí, pero no; del ahora no, pero luego quizá. La chica decente mantenía íntegro el talonario de su pureza. La que ya había firmado algunos cheques «tenía un pasado». Cada nuevo nombre que aparecía por su vida la sometía al tormento de un interrogatorio exhaustivo para informarse, en sus mínimos detalles, del grado de intimidad al que había llegado con sus antecesores. Si a pesar del mortificante palmarés la aceptaba y se casaba con ella, arrastraba perpetuamente la llaga abierta de que la mujer de su vida, aunque fuese virgen, extremo en el que muy pocos estaban dispuestos a transigir, no había llegado a sus manos intacta, es decir, no tocada».

Juan Eslava Galán, *El sexo de nuestros padres*, Barcelona, Planeta, 1993, pág. 147.

Responde, una vez leído, las siguientes cuestiones:

a) Juzga el comportamiento de Marcelino. Para ello rastrea frases en *Maribel y la extraña familia* que aludan a esta problemática sobre la relación hombre-mujer. ¿Cuadra Marcelino con el modelo?, ¿por qué?, ¿qué consecuencias se derivan de su parecido o no al modelo descrito en el texto proporcionado por Eslava Galán? Haz otro tanto con Maribel, el personaje femenino.

b) ¿Crees que existe en la solución final dada por Mihura una postura crítica que vaya más allá de lo anecdótico de una relación entre una «mujer de la calle» y un «señor serio» que, en principio y dadas las normas sociales, parece un «amor imposible»? ¿En *Maribel y la extraña familia* hay un juicio concreto sobre el matrimonio? ¿Cuál es éste? Redacta y justifica tus respuestas.

c) Compara la forma de comportarse el hombre y la mujer en un noviazgo típico de los años 50, en el siglo XX, con el comportamiento que manifiestan Marcelino y Maribel en la obra de Mihura. A su vez, compara ambas formas con las normas y costumbres actuales. Hazlo en una doble dirección: la generación de tus padres y tu generación. Observa las diferencias y extrae conclusiones.

d) Rastrea en las revistas del corazón y en programas rosa de televisión comportamientos hombre-mujer que puedan parecerse a los personajes de la obra de Mihura; es decir, prototipos de gentes del espectáculo que se relacionan con gentes de la vida normal. Observa las causas que rigen hoy día estas relaciones y analiza las diferencias de conceptos como, por ejemplo, «amor», «matrimonio», «vida/mujer moderna» o «libertad» con respecto a los mostrados en *Maribel y la extraña familia*.

e) Atendiendo a los siguientes interrogantes organiza con tus compañeros de clase un debate: ¿qué es el amor?, ¿el amor es imprescindible para llegar al matrimonio?, ¿todos los matrimonios pueden ser por amor?, ¿amor y sexo son equiparables?, ¿amor, posición económica y matrimonio van unidos?, ¿matrimonio o parejas de hecho?...

3. La célula familiar suele ser en el conjunto de la obra de Mihura un motivo obsesivo y continuamente indagado. Arranca desde *Tres sombreros de copa* y aún puede observarse en *Maribel y la extraña familia*.

La familia con célula aglutinante, el matrimonio como forma de cohesión y el amor como argamasa de una relación hombre-mujer. Busca frases clave a lo largo del texto donde puedan verse estos aspectos. Observa qué personajes los encarnan o los usan y dicen. Diferencia las distintas concepciones según el personaje. Realiza un repertorio de comportamientos. Y, finalmente, extrae, después, conclusiones sobre tales conceptos

Personajes y temas subsidiarios en *Maribel y la extraña familia*

1. La distorsión de la realidad.

En la obra de Mihura existen personajes que distorsionan continuamente la realidad. ¿Quién o quienes son estos personajes?, ¿en qué consiste la distorsión que realizan? ¿cuál es el resultado o resultados?, ¿cuáles las consecuencias que provocan en otros personajes? Aplica todos estos interrogantes a la obra.

Entre todos los personajes que distorsionan la realidad, aunque hay más, destacan Doña Paula y Doña Matilde. ¿Distinguen éstas entre realidad e imaginación?, ¿podría hablarse de senilidad en Doña

Paula? y, por el contrario, ¿de puerilidad en Marcelino? Justifica tu respuesta con citas concretas del texto.

Al leer la obra se tiene la sensación de que casi todos los personajes se comportan como si estuviesen ausentes o no se diesen cuenta de las cosas. Obsérvese ese «estar en la luna» en algunos personajes concretos, analícense las causas que produce esa situación y las consecuencias que conlleva. Todo ello, lógicamente, atendiendo a la historia que se expone como fondo de *Maribel y la extraña familia*.

En las compañeras de profesión de Maribel —Rufi, Pili, Niní— parece existir el deseo de «abrirle los ojos» a su amiga tras haber caído ésta en las redes de la «extraña familia». ¿Qué líneas de actuación lógica acometen en conjunto o qué línea representa cada una de ellas?, ¿cómo y con qué armas son vencidas?

Maribel es un personaje marginal que, sin embargo, no quiere cambiar de posición en la vida. Pero el azar se impone y se produce el cambio. Es decir, a Maribel el destino le lleva por caminos que ella no desea. Su visión de la realidad es vencida por la bondad, ternura y sentimientos que muestran otros personajes. Rastrea todas las situaciones y las frases que conforman su cambio de ver y estar en la vida.

2. El mundo marginal y el mundo convencional.

Maribel, Rufi, Pili y Niní son profesionales del sexo y, por costumbre, muchos de sus comportamientos y muchas de las frases que dicen dibujan un mundo libre de normas sociales. Realiza un repertorio de los comportamientos y otro de sus frases, tanto en los momentos en los que ellas están solas en escena, como en los que cuentan con la presencia de otros personajes —observa, sobre todo, las acotaciones—. Razona su finalidad dentro del conjunto de la obra.

3. La importancia de la risa.

En gran medida, la risa del espectador en esta obra de Mihura nace de la confrontación de lo real con lo imaginario e inverosímil

—además, claro está, del tratamiento del lenguaje—; es decir, del contraste de dos formas de ver una misma realidad.

Escoge un par de personajes y busca, a lo largo de la obra, momentos en los que se da este factor cómico. Primero, atendiendo a la forma de comportarse ese personaje en escena. Segundo, atendiendo a lo que manifiesta en los diálogos.

Investiga sus rasgos cómicos en un doble frente. Por un lado, los mecanismos de tipo verbal que usa. Por otro, el ambiguo mundo de la bondad, de la ingenuidad (infantilismo y estupidez, incluidos) y del autoengaño.

Observa cómo a través de las palabras, al servicio del humor y de la lógica del sinsentido, Mihura consigue momentos espléndidos. Fíjate en frases como las siguientes y analiza las rupturas de orden lógico que el autor lleva a cabo: «...mi discoteca, que por cierto va creciendo como la espuma. Con este disco ya tengo casi tres», «En casa todos hemos sido muy robustos hasta que nos hemos muerto»...

4. El uso de personajes contrapuestos.

Además de Maribel y de Marcelino, personajes contrapuestos por excelencia en *Maribel y la extraña familia,* ¿existen en la obra otros personajes que cumplan la misma función?, ¿y que ayuden con sus actos y sus palabras a que los mundos dispares de Maribel y Marcelino se aproximen?

Está claro que la obra se asienta en la dualidad: dos personajes frente a frente, dos modos de entender la vida, dos formas de comportarse ante el mundo, etc.

Sin dejar de observar que esta dualidad, asentada en el diálogo, permite el «dramatismo», establece esos dos grandes grupos de personajes que conforma el uso de la dualidad. ¿Podríamos hablar de personajes que viven acordes a las normas convencionales y, por tanto, incrustados en la sociedad, frente a otros que están en los márgenes de la sociedad y que no cumplen del todo las normas?, ¿qué personajes sitúas en cada grupo? Explica tu clasificación. ¿La familia podría ser uno de los núcleos y el mundo de la prostitución el otro? Justifica esta posibilidad mediante citas que muestren esta posible realidad.

5. Los rasgos, su importancia caracterizadora y humorística.

a) Rasgos espirituales: Por ejemplo, el infantilismo, la estupidez, el «estar en la luna» como manifestación del humor y como caracterización.

b) Rasgos físicos: Lee con atención las acotaciones del texto y rastrea los comentarios referentes a la mímica. Observa y diferencia su pertenencia por integración en la acción o por su servidumbre con respecto al humor de Mihura.

c) Los rasgos derivados del habla. Valor y función caracterizadora de:

— Las diferentes formas de hablar: mundo de la familia y mundo de las prostitutas.
— El discurso errático —Maribel— y el discurso ingenuo —Marcelino.
— El uso de diminutivos —paternalismo, infantilismo, ridículo—. Realiza listados en función de quién los dice y con qué motivo. Extrae conclusiones.
— Los tópicos, especialmente los relativos a la vida burguesa: decoración costumbres...
— Los tics sentimentales: lo cursi. Véanse principalmente las conversaciones entre doña Matilde y doña Paula.
— Los extranjerismos: recopila tanto los que aparecen en cursiva como los que aparecen escritos normalmente.
— Las frases hechas: observa quién las dice, en qué momento y por qué. Véanse, especialmente, los diálogos entre Niní, Rufi, Pili y Maribel. Saca conclusiones.
— Las hipérboles.

La maquinaria escénica. Algunos ejemplos

1. En teatro, las «decoraciones cerradas» suelen ser las más apropiadas para representar una «escena doméstica reservada». También los espacios pequeños sirven para mostrar al individuo en sí mismo; es decir, en soledad, concentración interior y manifestación de sentimientos.

a) Observa las descripciones que encabezan cada uno de los tres actos de la obra de Mihura y realiza también un rápido rastreo por las acotaciones con la finalidad de observar esas «decoraciones cerradas» destinadas a mostrar «escenas domésticas» y a los personajes en sí mismos.

b) ¿Te has fijado que toda la historia de la obra sucede en una habitación acotada y cerrada, salvo un par de aberturas por donde entran y salen los personajes? Por cierto, observa qué tipo de personajes entran y salen por cada abertura y relaciónalos, después, con su condición de personaje «con los pies en la tierra» o de personaje de «estar en la luna» ¿A qué conclusión has llegado?

c) Asimismo, relaciona esas entradas y salidas con su pertenencia al grupo de personajes que viven en los márgenes de la sociedad o al grupo de los que aceptan todas las convenciones sociales.

d) Finalmente, observa cómo las entradas y salidas de los personajes, aislados o en grupo, sirven para segmentar la obra, permitiendo así la división del texto en fragmentos más pequeños dotados de contenido: situaciones dramáticas. En función de esas entradas y salidas ¿qué personajes son trascendentales en el desarrollo de la obra?

2. En el teatro los muebles sirven para caracterizar los espacios interiores creando atmósferas acompañantes y, por supuesto, a los personajes que viven en ellos. ¿Qué tipo de muebles existen en los distintos espacios de *Maribel y la extraña familia*? Realiza su cómputo. ¿A qué personajes están caracterizando? ¿En qué sentido y por qué? ¿La atmósfera resultante es rara, ñoña, humorística?

También la mayor parte de los objetos usados en una representación, además de la finalidad de «decorado», mantienen una relación con los personajes, generalmente la de apoyar las maquinaciones que estos llevan a cabo. Ejecuta un repertorio de todos los objetos en cada uno de los actos de la obra observando su finalidad: simple decorado, caracterizador de personajes, apoyo a las maquinaciones de un personaje. Selecciona aquellos objetos que cumplan una función puramente dramática.

3. Un aspecto clave de juego escénico está en la forma de moverse los personajes en el escenario. El movimiento suele centrar la atención del espectador en el personaje o, también, mostrar la mayor intensidad de una escena frente a otras.

Teniendo en cuenta esta advertencia, lee atentamente *Maribel y la extraña familia* y observa el valor del movimiento en las escenas que más te agraden.

El mundo en la ciudad y en la provincia

Maribel y la extraña familia se desarrolla en dos espacios cerrados que, sin embargo, poseen continuas referencias al exterior. Esos espacios tienen ubicaciones diferentes y, por tanto, trasladan al espectador a atmósferas también diferentes.

a) Observa las diversas referencias exteriores que existen en los dos primeros actos y qué personajes son sus portadores. ¿Cómo influyen en la obra?, ¿caen dentro del campo del humor y de la distorsión de la realidad?

b) Observa las referencias exteriores existentes en el tercer acto y en qué personajes se ubican, ¿observas diferencias con respecto a las ya estudiadas?, ¿acompañan a la intriga y actúan como elementos retardadores del desenlace?

c) ¿Tráfago en la ciudad y vida retirada en el campo? ¿Modernidad de Madrid frente a vida provinciana y pueblerina? Además de indagar en las acotaciones, busca frases y comportamientos que confirmen o que nieguen estos interrogantes.

d) Ayudándote de lo que los personajes cuentan o dicen sobre Madrid y sobre el pueblo conquense donde se encuentra la fábrica de «Terrón e Hijo» resume la vida en ambos ambientes. Compara el resultado con tu visión actual sobre la vida en una capital y en un pueblo.

El recurso del misterio y su importancia en *Maribel y la extraña familia*

A partir del final del segundo acto, Mihura da entrada a un elemento de intriga que toca lo policíaco. Es un elemento que, además de expandir la acción y retardarla, sirve para inyectar más fuerza dramática al texto. Síguele la pista y extrae el repertorio de frases y situaciones que la conforman. ¿Qué personajes participan?

El desenlace final

A la vista del siguiente fragmento, busca momentos y diálogos concretos sobre los que se asienta el inesperado desenlace de la obra:

MARCELINO.—Tú pareces un ángel, Maribel. Y lo eres. ¿Qué dices tú?
MARIBEL.—Que ahora pienso que sí, que lo soy. Pero es porque tú me lo dices. Y cuantas más veces me lo digas, más me lo creeré. Y llegaré a serlo.